Véronique Drouin

Zeckie Zan

la courte échelle

Les éditions de la courte échelle inc.
5243, boul. Saint-Laurent
Montréal (Québec) H2T 1S4
www.courteechelle.com

Direction littéraire:
Anne-Sophie Tilly

Révision:
Sophie Sainte-Marie

Dépôt légal, 3e trimestre 2007
Bibliothèque nationale du Québec

La courte échelle reconnaît l'aide financière du gouvernement du Canada par l'entremise du Programme d'aide au développement de l'industrie de l'édition pour ses activités d'édition. La courte échelle est aussi inscrite au programme de subvention globale du Conseil des Arts du Canada et reçoit l'appui du gouvernement du Québec par l'intermédiaire de la SODEC.

La courte échelle bénéficie également du Programme de crédit d'impôt pour l'édition de livres — Gestion SODEC — du gouvernement du Québec.

Catalogage avant publication de Bibliothèque et Archives Canada

Drouin, Véronique

Zeckie Zan

(Ado ; 38)

ISBN 978-2-89021-937-3

I. Titre. II. Collection.

PS8607.R68Z32 2007 jC843'.6 C2007-940421-9
PS9607.R68Z32 2007

Imprimé au Canada

Véronique Drouin

Véronique Drouin a étudié en sciences pures et elle a obtenu un baccalauréat en design industriel. Elle a d'abord été conceptrice de jouets pendant quelques années. Puis elle s'est tournée vers l'illustration de livres jeunesse, avant de se plonger dans l'écriture de romans. Véronique Drouin est une grande amatrice de romans d'anticipation, de science-fiction et de bandes dessinées. À la courte échelle, elle est l'auteure de la série *L'archipel des rêves*.

Pour en savoir plus sur la série *L'archipel des rêves*, visitez le www.veroniquedrouin.com

De la même auteure, à la courte échelle :

Série L'archipel des rêves :
L'île d'Aurélie
Aurélie et l'île de Zachary
Aurélie et la mémoire perdue

Véronique Drouin

Zeckie Zan

la courte échelle

Prologue

Un homme sortit en courant par la porte qui séparait les wagons du train. La sueur perlait sur son visage effrayé. C'était un personnage quelconque, à la physionomie banale et aux grands membres flasques. Pas le genre d'individu habituellement mêlé à des histoires.

D'un pas rapide, l'homme continua son chemin dans l'allée bordée de sièges sans accorder d'importance aux passagers qui y prenaient place. De l'issue qu'il venait d'emprunter surgit un autre personnage mystérieux. L'homme se tourna avec un hoquet, terrifié par cette apparition, puis recommença à courir. Les gens chuchotèrent, alarmés par cette poursuite. Le nouvel individu, drapé dans une cape noire, avançait avec détermination. Il tira un sabre brillant de sa gaine et le pointa en direction de l'homme qui essayait de passer dans le wagon suivant. La porte bloquée retarda ce dernier et le personnage au sabre l'intercepta. La lame s'abattit sur le bras de l'homme, et du sang bleu s'écoula de la plaie. Surpris, les passagers du train poussèrent des exclamations.

La terreur régnait à bord. Affaibli par sa blessure, l'homme s'agrippa à la cape du sombre individu et lui retira de force son capuchon. Il dévoila une jeune fille de quatorze ou quinze ans, à la chevelure platine et au visage stoïque. Ignorant les supplications de l'homme hébété, l'adolescente lacéra le torse de sa victime d'un grand coup de sa lame.

Des cris stridents accompagnèrent cette attaque. La peau de l'homme tomba sur le sol, tel un manteau délaissé. De ce camouflage jaillit une créature immonde, au corps spongieux et souple, et aux bras tentaculaires. Cette bête à l'épiderme iridescent n'avait ni yeux ni bouche, qu'une longue protubérance à l'extrémité dentelée. L'étrange trompe flagella l'air sans atteindre la jeune fille qui exécuta un spectaculaire saut arrière et se mit hors de portée du monstre. Sur le bracelet doté d'un ordinateur qu'elle portait au bras gauche, elle appuya sur plusieurs touches. Un portail lumineux s'ouvrit dans l'air.

Aspirée par le vortex, la créature tenta de se retenir aux sièges et lâcha un gémissement aigu, quasi imperceptible. Le trou immatériel se referma sur elle avec un bruit de succion, l'envoyant dans une autre dimension.

Le silence se fit alors dans le wagon et, atterrés, les passagers se tournèrent vers la jeune fille. Fasciné, un garçon sortit un appareil photo. Prise de court, l'adolescente leva la main devant elle pour cacher son visage. Elle courut vers la sortie, laissant derrière une petite boule scintillante suspendue dans l'air. Intrigués, les passagers oublièrent celle qui fuyait pour observer de plus près cet orbe hypnotisant. La sphère translucide éclata soudain en mille morceaux, émettant un flash aveuglant, et les gens à bord de ce wagon s'évanouirent.

La jeune fille franchit au pas de course les cloisons séparant les voitures, sous l'œil étonné des autres voyageurs. Elle arriva au bout du train et, d'un coup de sabre, coupa le cadenas qui retenait la dernière porte.

Elle se retrouva à l'extérieur, sur un balconnet de métal, le vent fouettant son visage toujours inexpressif, puis elle s'élança dans les airs. Elle atterrit sans perdre pied sur la voie ferrée et poursuivit sa course dans la prairie qui longeait les rails. Avec une cadence soutenue, elle traversa des forêts et des marécages jonchés d'ordures jusqu'à ce qu'elle parvienne à ce qui semblait être un entrepôt désaffecté.

Au bas d'un escalier de béton, elle ouvrit la porte du sous-sol et franchit une brèche lumineuse. Elle fut alors transportée dans un autre monde.

Cette nouvelle dimension n'avait rien de commun avec celle de la Terre, que la jeune fille venait de quitter. Aucun déchet ne polluait l'environnement. Dans ce monde aseptisé, tout était réutilisé et recyclé.

Dès sa sortie du vortex, l'adolescente s'arrêta, à peine essoufflée et bien droite, dans une salle au décor épuré, face à un groupe de juges assis à une table de pierre à demi circulaire. Une grande femme aux longues boucles noires et aux yeux sombres présidait le jury. Son nez légèrement aquilin lui donnait la prestance d'un oiseau de proie. Elle prit la parole.

— Numéro 2259-826-1935-0-432 ?

— Oui, Saïna 263, répliqua la jeune fille en bombant le torse et en levant la main droite près de son visage en signe de salutation.

— Vous avez complété votre mission d'entraînement en une heure quarante-sept minutes et douze secondes, ce qui, en somme, est honorable, déclara la Saïna 263.

— Merci, Saïna, souffla la jeune fille en inclinant la tête.

— C'est votre seul point fort, reprit la Saïna avec un air mauvais.

La jeune fille frémit.

— Vous avez obtenu cinquante-deux pour cent pour votre efficacité, cinquante-sept pour cent pour votre habileté et votre maîtrise du sabre, et je dois vous donner un piètre douze pour cent pour la discrétion !

— Mais Saïna… débuta la jeune fille pour plaider sa cause.

La Saïna rougit de colère.

— Vous n'avez aucun droit de réplique devant ce tribunal ! Vous ne pouvez en aucun cas discuter les notes ! Vous n'êtes qu'une élève, et très mauvaise en l'occurrence ! Pour cette interruption, j'abaisserai votre note finale.

— Saïna 263, il faudrait peut-être tenir compte du degré de difficulté de l'exercice pour une élève du niveau de Zan 432, intervint un des juges, un homme rond et chauve au visage bienveillant.

— Saonu 774, dois-je vous rappeler à vous aussi que je suis la présidente de ce jury ? Mettriez-vous en doute ma compétence ? persifla la Saïna.

— Euh… non, Saïna.

— Estimons-nous chanceux ! Si cela avait été une véritable mission et non un exercice dans un décor virtuel, vous auriez pu déclencher une catastrophe ou un mouvement de panique, Zan 432 ! Et n'avez-vous pas appris que les orbes amnémoniques effacent la mémoire des gens à court terme et qu'ils laissent intactes les pellicules photo ? Ce garçonnet aurait pu vous photographier si vous aviez réagi une seconde et quatorze centièmes plus tard ! Enfin, vous avez grièvement blessé le Mycoloïde ! Or, vous deviez l'envoyer dans sa dimension sans lui causer de tort.

La jeune fille du nom de Zan 432 inspira profondément. La Saïna poursuivit.

— Zan 432, vous avez échoué votre examen de passage au prochain niveau. Vous avez encore beaucoup de choses à assimiler avant de progresser. Pour cette misérable performance, je vous condamne non pas à retourner sur les bancs d'école ou à refaire vos ateliers de sabre, mais plutôt à vivre quelque temps dans la vraie dimension de la Terre pour défendre ses habitants contre les Mycoloïdes qui tentent de s'infiltrer dans leur monde.

Zan 432 soupira. « La Terre ? Autant retourner à l'âge de pierre ! »

— Vous avez un mois pour vous préparer et vous familiariser avec quelques coutumes terriennes. Sur place, vous devrez rédiger des rapports hebdomadaires sur vos observations ainsi que sur vos apprentissages. Enfin, votre tuteur sera le Saonu 618.

La jeune fille sourcilla. « Le Saonu 618 ? Non ! C'est le plus intransigeant des Saonus ! Ai-je été si mauvaise pour mériter une telle punition ? » Zan 432 se pencha en une révérence polie et murmura :

— Avec tout mon respect aux Saïnas et Saonus du jury ainsi qu'à la Saïna 263.

— Bien, acquiesça la Saïna 263. Que cette leçon vous aide à accéder à l'échelon suivant, soit celui de Kao. À la grâce de Gaïa, conclut-elle en esquissant un sourire qui dévoila des dents luisantes et étrangement pointues.

Partie 1

Terre

1

— 432 ! 432 ! la héla une jeune fille en courant.

Zan 432, qui longeait la passerelle menant à son dortoir, s'arrêta et roula des yeux. Elle reconnaissait trop bien la voix nasillarde et irritante de Zan 158. N'ayant aucun moyen de se cacher, Zan 432 se força à suivre la consigne gaïenne qui dictait de respecter son prochain malgré ses défauts. Elle soupira et se tourna vers Zan 158 avec un sourire crispé.

— Zan 432, je te cherchais ! s'écria l'adolescente, le souffle court.

Zan 158 avait un physique ingrat et des cheveux filasse qui tombaient en mèches grasses. Elle leva un visage bouffi vers sa collègue.

Zan 432 aurait aimé être capable de prendre Zan 158 en pitié, mais celle-ci n'avait vraiment pas le tour de se faire apprécier des autres. Vaniteuse, elle voulait sans cesse attirer l'attention.

— Qu'y a-t-il ? s'enquit Zan 432.

— Je viens de terminer mon examen ! Je serai désormais Kao 158 !

« Comment ? pensa Zan 432. Cette écervelée a accédé au niveau suivant et pas moi ? » Elle se remit à marcher, obligeant celle qui se nommait à présent Kao 158 à lui emboîter le pas.

— La Saïna 263 a aussi inscrit une mention d'honneur à mon dossier, ce qui pourrait accélérer mon passage au niveau Myu !

« Cette vipère de Saïna 263 ! » grommela intérieurement Zan 432 pendant que sa compagne continuait de jubiler.

— Si c'était le cas, je serais la plus jeune Myu en vingt ans !

Zan 432 pressa le pas en fulminant. Gaïa disait qu'il fallait aimer tous les êtres et savoir trouver la beauté de leur âme. Zan 432 se demanda s'il y avait des exceptions. Elle aurait souhaité faire tomber Kao 158 en bas de la passerelle pour la forcer à se taire.

— Et toi, 432 ? Je croyais que tu avais ton examen la semaine dernière ? Il a été reporté ?

Zan 432 se figea, saisie par la question. Gaïa affirmait que les paroles honnêtes avaient un goût moins amer. Dans ce cas, quelle était cette bile qui refluait dans sa bouche ? Résignée, elle songea qu'elle devrait avouer son cuisant échec tôt ou tard.

— L'examen a eu lieu, mais je n'ai pas pu accéder au niveau Kao, murmura Zan 432 en pinçant les lèvres.

Elle n'osa pas regarder Kao 158, craignant son expression narquoise. Elle baissa le nez vers le plancher translucide qui laissait voir la verdure quelques étages en dessous.

— Tu plaisantes ? ricana Kao 158, incrédule. C'est si rare qu'une telle chose se produise ! Comment t'es-tu retrouvée dans cette situation ? Tu as tranché la tête d'un Terrien par accident ? Devras-tu reprendre le niveau en entier ?

Zan 432 avait envie d'envoyer Kao 158 dans la dimension de l'enfer.

— Non, je ferai un stage dans la dimension de la Terre pendant quelque temps en compagnie du Saonu 618.

— La Terre ? Quelle horreur ! Par chance, avec ma promotion, je n'aurai pas à mettre les pieds dans cet endroit pollué !

Zan 432 grinça des dents. Gaïa enseignait la tolérance et la bonté, car celles-ci menaient à la paix intérieure. La jeune fille avait beau se répéter ces préceptes, elle commençait à les trouver difficiles à appliquer quand il était question de l'exaspérante Kao 158.

— Et le Saonu 618 est un vrai tyran ! Une rumeur circule à son sujet et dit qu'il est plus froid qu'un cadavre ! En tout cas, maintenant que je suis Kao, nous ne serons plus dans la même classe. C'est dommage !

Zan 432 soupira. Heureusement, il y avait cet avantage…

— Pauvre 432, je te souhaite toute la grâce de Gaïa ! À présent, je dois me dépêcher de changer de chambre, car j'ai mon premier cours de sabre avancé dès cet après-midi. Au revoir ! s'enthousiasma Kao 158 avec un déluge de postillons avant de reprendre sa course vers le dortoir.

Zan 432 resta plantée là et s'imagina Kao 158 pâtissant dans un de ces affreux dépotoirs terrestres. Pourtant elle éprouvait du chagrin et de l'humiliation à l'idée d'être obligée de demeurer dans le dortoir du niveau Zan et d'y accueillir les nouveaux élèves.

D'après Gaïa, il fallait demeurer digne et fort devant les épreuves. Malgré cela, Zan 432 sentait qu'elle venait de perdre bien des échelons dans son estime d'elle-même.

***

Béatrice leva les yeux vers l'horloge. Onze heures quarante-sept. Comme d'habitude, Mme Lépine avait attendu la fin du cours pour remettre les examens corrigés aux élèves. Elle clamait que cette façon de procéder les empêchait d'être distraits par leurs résultats. Elle ne semblait pas se rendre compte que la majeure partie des étudiants, à force de patienter, ne portaient aucune attention aux exercices d'algèbre…

La professeure interrompit enfin la leçon pour distribuer les examens, classés minutieusement par ordre alphabétique. Béatrice devait attendre jusqu'aux « P » pour « Paradis » et écouta Mme Lépine égrener les noms des élèves avec de petits commentaires parfois acides.

Dans les « D », Mme Lépine sourcilla devant une des copies. Elle adressa une expression dédaigneuse à un jeune homme au dernier rang de la salle. Assis en équilibre sur les pattes arrière de sa chaise, les bras croisés et le capuchon rabattu sur le visage, le jeune homme habillé de vêtements amples ne cilla pas à l'appel de son nom.

— Jimmy Desjardins, je vois que les séances de rattrapage que je vous ai recommandées n'ont pas porté leurs fruits. Qu'avez-vous à me dire à ce propos, mademoiselle Paradis ?

Béatrice sursauta. Puisqu'elle s'occupait du programme de rattrapage tous les vendredis midi, la professeure lui avait demandé d'aider Jimmy. Hélas, celui-ci ne s'était jamais présenté.

Interloquée, Béatrice se tourna vers lui avec un air angoissé.

— Monsieur Desjardins, veuillez enlever votre capuchon lorsqu'on vous parle, ordonna Mme Lépine.

Avec nonchalance, le jeune homme dévoila des cheveux blonds en bataille. Ses yeux noirs étaient soulignés de cernes profonds, et son sourcil gauche était orné d'un anneau argenté.

Son regard sombre se posa sur Béatrice.

— Eh bien, mademoiselle Paradis ?

Confuse, la petite rouquine hésita entre la vérité et le mensonge.

— Euh… Nous aurons sûrement besoin de plus d'une séance, finit-elle par murmurer en déglutissant avec difficulté.

— J'en ai l'impression, conclut Mme Lépine en remettant l'examen à son destinataire.

Jimmy empoigna la feuille où un énorme « 37 % » était encerclé en rouge. Lorsque la professeure remonta l'allée entre les pupitres, Jimmy jeta le papier chiffonné sur le sol. Mme Lépine observa le jeune homme par-dessus ses lunettes rectangulaires, mais s'abstint de tout commentaire.

Lorsque Béatrice reçut enfin sa copie, le « 96 % » assorti d'un éclatant « Bravo ! » n'avait plus autant de valeur.

***

Quelques minutes après le cours, Béatrice rangeait ses livres dans son casier et prenait sa boîte à lunch lorsqu'une haute silhouette surgit à ses côtés. La jeune fille enfonça ses lunettes et leva les yeux. Jimmy la fixait avec un sourire mauvais.

— Tu as bien fait de ne pas me vendre, dit-il en sortant une cigarette d'un paquet fripé.

Béatrice esquissa une moue.

— Tu devrais vraiment venir le vendredi, Jimmy. Je suis certaine que je pourrais t'aider… du moins en maths.

— Je n'ai pas besoin des conseils d'une intello. Alors mêle-toi de tes oignons, lui ordonna-t-il en plaquant son index dans la lentille droite de la jeune fille.

Agacée, elle retira ses lunettes pour les nettoyer avec un pan de son chemisier.

— Arrête de jouer au méchant, Jimmy. Tu as peut-être la réputation d'être un briseur de crânes, sauf que ça ne marche pas avec moi. Je te connais trop pour ça.

Jimmy haussa un sourcil ironique et prit le menton de l'adolescente téméraire.

— Attention, Béa ! On ne sait pas quand le grand méchant loup va se décider à croquer le petit chaperon roux, souffla-t-il à quelques centimètres de son visage.

Puis il tourna les talons avec un éclat de rire rocailleux. Lèvres pincées, Béatrice se frotta la mâchoire, là où Jimmy avait posé les doigts, et émit un soupir résigné.

Un autre adolescent, qui portait un impressionnant appareil dentaire et un t-shirt à l'effigie de Batman, l'apostropha à ce moment.

— Béa, tu viens à la réunion du Cercle d'Asimov à midi ?

— Oui, ce ne sera pas long, Arnaud ! J'arrive !

En refermant la porte de son casier, la jeune fille jeta un regard triste en direction de Jimmy. Celui-ci alluma une cigarette avec insolence sous les yeux du directeur et sortit de l'école.

***

Avant d'entrer dans le bâtiment qui abritait les opérations et les cours concernant les voyages interdimensionnels, pavillon surnommé le Portail, Zan 432 s'arrêta pour reprendre son souffle. Elle observa la verdure qui couvrait le campus et les passerelles qui la préservaient. Puis elle observa les volutes de cristal qui brillaient en haut de l'immense tour de verre, dans le ciel de plomb.

Dans la dimension de Gaïa, la nature était respectée et resplendissait. Les vêtements blancs, gris ou noirs des habitants n'éclipsaient jamais la forêt qui était seule à pouvoir arborer ses couleurs chatoyantes. Par ailleurs, les édifices de verre aux lignes géométriques ne portaient aucun signe de détérioration ou de bris et étaient d'une propreté impeccable. Les habitants, aidés d'une armée de robots et de nanorobots, travaillaient avec une rigueur militaire à conserver leur monde et celui des autres intacts.

Zan 432 savait que son temps dans sa dimension était compté et craignait son voyage sur la Terre. Si elle avait été entraînée depuis sa naissance en vue de missions dans d'autres mondes, elle n'arrivait pas à s'accoutumer à l'idée de quitter Gaïa. Qu'est-ce qui l'attendait là-bas ?

Elle venait de passer les dernières semaines à étudier les mœurs, les habitudes, les croyances, la géographie ainsi que les langues aux intonations rudes des Terriens, et en avait conclu qu'il s'agissait d'un peuple primitif. À ses yeux, peu de choses séparaient ces êtres des animaux. Ils polluaient sans se soucier des conséquences, ils se détestaient pour des questions aussi ridicules que la couleur de leur peau ou le dieu qu'ils priaient. Ils tuaient, se faisaient la guerre et participaient à une course aux armements… À bien y penser, ils étaient pires que les animaux.

Pourtant, il fallait les aider. Les Mycoloïdes cherchaient à fuir leur dimension dévastée et avaient trouvé une brèche entre leurs deux mondes, Gaïa seule savait comment. Ils commençaient donc à envahir la Terre de façon sournoise. Et cette invasion pourrait s'avérer fatale pour les Terriens.

Si Zan 432 avait l'ambition de devenir une agente interdimensionnelle efficace, elle devait voir cette mission d'appoint comme une expérience unique et enrichissante. Car même le jour où elle accéderait au niveau ultime de Saïna, on lui confierait des tâches qui ne seraient pas toujours motivantes.

Pour le moment, elle assumerait les responsabilités qui lui étaient données sans trop poser de questions. Le but était de grimper au niveau Kao.

Un vol d'oiseaux se refléta dans les vitres immaculées de la tour et rappela Zan 432 à l'ordre. Elle fixa les portes devant elle et se demanda encore une fois si elle était prête à accomplir sa mission. Il ne lui restait plus que quelques jours pour parfaire ses connaissances terrestres. Le temps filait, et elle avait peur de ne pas être à la hauteur.

Elle traversa le seuil du Portail, le menton haut et les épaules jetées en arrière. Ses yeux, un instant angoissés, avaient retrouvé la froideur de la détermination.

2

Jimmy se dirigeait vers l'école, le dos voûté et les mains dans les poches. Il alluma une cigarette, indifférent aux regards en biais des autres élèves.

Par chance, c'était vendredi. Il ne restait plus que quelques heures avant que sonne la cloche annonçant le week-end. Ses parents étaient en voyage. Encore. Il aurait la maison à lui tout seul et pourrait s'éclater à souhait.

Ses parents avaient depuis longtemps renoncé et le laissaient tranquille. Sa sœur Laura, elle, étudiait comme une acharnée le droit à l'université et avait mieux à faire que de surveiller son petit frère.

Nadia, sa copine, n'était malheureusement pas libre cette fin de semaine. Elle avait une fête de famille ou quelque chose du genre. « La famille... Pfft ! Quelle hypocrisie ! pensa Jimmy. C'est juste une excuse pour qu'un paquet de gens qui n'ont rien à se dire se rencontrent et jouent les visages à deux faces ! »

Il allait sans doute louer des films d'horreur sanglants et dormir jusqu'à midi.

Jimmy regarda sa montre. Midi trente. Il avait le temps d'aller voir Béa pour son rattrapage en maths. Pauvre Béa, elle s'imaginait qu'elle allait sauver son âme et le transformer en élève modèle. Il se demandait pourquoi elle nourrissait autant d'espoir à son sujet. Elle était bien la seule.

Avant d'entrer dans l'école, il lança son mégot et cracha sur le sol.

— Hé !

Il pivota et se trouva face à Kazuo Miyabe, le joueur étoile de l'équipe de soccer. Jimmy n'avait jamais pu le supporter, avec sa belle gueule et sa politesse pathétique. En plus d'être populaire et bien élevé, Kazuo accumulait les prix et les trophées autant pour ses performances sportives que pour ses résultats scolaires.

— Tu m'as craché dessus ! protesta Kazuo.

Jimmy haussa un sourcil. Il ne l'avait pas fait exprès et il n'allait pas se laisser impressionner. Il esquissa une moue sarcastique.

— Pauvre petit, j'ai sali tes souliers ?

— Excuse-toi ! exigea Kazuo en s'avançant.

Jimmy prit un air menaçant.

— Hé ! le sushi avarié ! Ôte-toi de mon chemin, sinon tu vas goûter à mon poing ! grogna-t-il en repoussant brusquement son adversaire.

— Salaud ! Je te…

Kazuo bouscula Jimmy à son tour. L'atmosphère déjà lourde se chargea d'électricité, et les élèves qui flânaient à l'extérieur de l'école par cette belle journée d'automne se massèrent autour des deux opposants, scandant le nom de l'un ou de l'autre. Kazuo avait beaucoup d'appuis, ce qui irrita davantage Jimmy.

Jimmy lâcha son sac et provoqua Kazuo, l'invitant d'un geste à s'approcher.

— Viens donc ! Force-moi à m'excuser si tu es capable !

Kazuo décocha un coup fort et adroit, mais Jimmy l'esquiva avec un rire goguenard. Il était plus habitué à se battre que ce sportif modèle, et cela lui donna un net avantage lorsqu'il envoya son poing sur la pommette de Kazuo.

***

En entendant le chahut dans la cour d'école, Béatrice sortit pour observer la bagarre avec curiosité. Elle ne put réprimer une exclamation de surprise en voyant qui étaient les rivaux. Elle avait en vain attendu Jimmy pour l'atelier de rattrapage, et voilà qu'elle le trouvait mêlé au grabuge.

Les doigts agrippés à son cartable, elle suivit avec angoisse l'empoignade des deux jeunes hommes. Entre Jimmy, le grand efflanqué blond dont le chandail relevé dévoilait les côtes saillantes, et Kazuo, tout en muscles et en nerfs, elle se demandait bien qui l'emporterait.

Elle remarqua que Nadia Fréchette, la copine de Jimmy, surveillait le déroulement de la bataille les yeux brillants. Béatrice n'avait jamais aimé cette belle brune qui regardait les gens avec condescendance. N'avait-elle pas peur de nuire à sa réputation en fréquentant un voyou ? Probablement pas. Nadia était ambitieuse, et les parents de Jimmy étaient riches à craquer…

Un garçon tapota l'épaule de Béatrice, la forçant à détourner son attention.

— Béa, ce n'est pas à midi qu'a lieu l'atelier de maths ? J'avais besoin des réponses pour…

— Je te signale que la séance commençait à midi et quart, Michaël Laforêt ! Et je ne suis pas une distributrice de réponses.

Agenouillé par terre, Jimmy essuya son nez ensanglanté du revers de la main et lança un sourire féroce à Kazuo qui tenait sa mâchoire douloureuse. Jimmy bondit en avant et se jeta sur son adversaire qui roula sur le sol. À ce moment, un surveillant baraqué et un professeur d'éducation physique vinrent séparer les adolescents. Certains élèves huèrent de déception, tandis que d'autres se faufilèrent discrètement dans l'école, mine de rien.

Lorsque la foule fut dispersée, Béatrice secoua la tête de dépit en apercevant des gouttes de sang luisant sur le béton chaud.

***

Raoul Samson, le directeur de l'école, observait les jeunes hommes qui prenaient place dans les fauteuils devant lui : Jimmy Desjardins, qui tenait un mouchoir rougi sous son nez, et Kazuo Miyabe, dont la joue enflait à vue d'œil. Deux élèves totalement différents, qui avaient pourtant quelque chose en commun : ils se cachaient derrière une façade aussi impénétrable qu'une forteresse.

Les adolescents regardaient dans des directions opposées, n'osant croiser ni le regard de leur adversaire ni celui du directeur. Avec un profond soupir, celui-ci expliqua :

— Puisqu'il est impossible de déterminer qui a commencé cette bagarre, vous êtes suspendus pour trois jours, et ce, à compter de cet après-midi. Je communiquerai avec vos parents pour les en informer.

Jimmy eut un sourire narquois. Ses parents n'étaient pas là. Ils n'étaient jamais là. Kazuo, lui, tressaillit devant la sentence ; il aurait droit à plus qu'un sermon ce soir…

— Mais monsieur Samson, nous avons un match important la semaine prochaine, je ne peux pas me permettre de manquer l'entraînement…

— Je suis désolé, Kazuo. La sentence est la même pour tous les élèves qui se battent sur le terrain de l'école.

Le jeune homme se leva, plein de regrets et la gorge nouée. Avant de sortir du bureau, il coula un air accusateur vers son antagoniste.

Le directeur se retrouva seul avec Jimmy, essayant de percer à jour cet adolescent qui respirait la révolte. Jimmy s'était déjà fait expulser de deux collèges privés. L'année dernière, il était entré dans cette école publique, causant du tumulte et obtenant à peine les résultats scolaires nécessaires pour accéder au niveau suivant. Pourtant, M. Samson ne pouvait ignorer l'étincelle vive et intelligente qui brillait au fond de ses pupilles. Un potentiel immense se cachait sous un vernis difficile à gratter.

— Malgré tes notes en chute libre, tu t'étais tenu tranquille cette année. Est-ce toi qui as provoqué cette dispute ?

Jimmy grimaça, résigné.

— Je vais te croire, Jimmy, l'encouragea le directeur.

— C'est sûr que c'est moi et pas Super-Kazuo, le roi des parfaits ! ironisa l'adolescent.

M. Samson baissa les bras. Décidément, ce n'était pas aujourd'hui que Jimmy lui ferait confiance et s'ouvrirait un peu.

— Je sais que tes parents sont souvent absents et je comprends ta frustration. Je suis là pour t'aider et non pour toujours te punir.

Jimmy se leva d'un bond.

— Hé, doc, c'est fini, la psychanalyse ?

M. Samson haussa les épaules.

— Oui, Jimmy.

Avant que le jeune homme sorte, le directeur l'interpella de nouveau.

— Ah oui ! j'oubliais ! M. Sarrasin m'a montré ton dernier projet d'arts plastiques...

Jimmy afficha un air frondeur. Il se doutait que cette sculpture effrayante susciterait des réactions.

— C'est très bien, même si c'est un peu sanglant à mon goût... Tu as beaucoup plus de talent que tu ne veux le montrer, Jimmy, affirma M. Samson d'un ton triomphant.

L'adolescent serra les dents et pivota, incapable de décider s'il était heureux du compliment ou s'il regrettait que le directeur ait trouvé une faille dans son attitude de mauvais élève.

***

Béatrice rangeait ses livres quand elle vit Jimmy prendre sa planche à roulettes quelques casiers plus loin. Elle était presque certaine d'avoir aperçu une ombre de tristesse sur son visage totalement fermé d'ordinaire. Se sentant épié, il se tourna vers elle.

— Qu'est-ce que tu as à me regarder comme ça, toi ? s'écria-t-il.

Avant qu'elle puisse répondre, il claqua la porte de métal avec fracas, et Béatrice cilla.

Lorsqu'elle se ressaisit, Jimmy se dirigeait déjà vers la sortie d'un pas traînant, le dos courbé sous un poids invisible mais bien réel.

***

De retour devant les deux portes de verre qui la séparaient du Portail, Zan 432 inspira profondément. C'était aujourd'hui qu'elle traversait de l'autre côté et elle n'en reviendrait pas avant un moment. Elle respira l'air frais et parfumé de Gaïa, puis observa autour d'elle la nature chatoyante une dernière fois.

Elle croisa alors le regard délavé de Kao 158, entourée d'une dizaine de ses compagnons de niveau. Le destin lui offrait-il un cadeau de départ ?

— Ah, 432 ! Je voulais te souhaiter bonne chance dans ta mission ! J'ai su que tu partais aujourd'hui, toi aussi, sympathisa Kao 158 en s'arrêtant à sa hauteur.

— Où pars-tu ? s'enquit Zan 432, curieuse.

— Dans la dimension d'Azuréa pour une semaine. Un petit entraînement sous le soleil et les palmiers, il y a pire… À bientôt, j'espère ! À la grâce de Gaïa !

— C'est ça, maugréa Zan 432.

Elle observa Kao 158 passer le seuil du pavillon en dandinant son corps dodu et à l'étroit dans son uniforme gris de Kao. Zan 432 entra derrière elle avec un vilain coup de pied. Les poings serrés, elle monta l'escalier en colimaçon qui menait au sommet de la tour. Les chambres de téléportation se succédaient jusqu'en haut.

«Azuréa, le paradis des dimensions...» pensa Zan 432. Kao 158 avait droit à un séjour magnifique dans un environnement sain, tandis qu'elle-même subissait encore les effets secondaires de la multitude de vaccins qu'elle avait dû recevoir contre les bactéries et la pollution terriennes. Malgré les sages consignes de Gaïa, Zan 432 aurait eu envie d'étrangler Kao 158.

Dans le local numéro 5, grande pièce cylindrique d'un blanc éclatant, la Saïna 263 et le Saonu 774 ainsi qu'un bataillon de médecins et de scientifiques qui veillaient aux derniers préparatifs de la mission sur Terre l'accueillirent. Le Saonu 618, qu'elle redoutait tant, était aussi de la partie. Il était suivi par des spécialistes qui vérifiaient son état et ses signes vitaux. Il dépassait tout le monde d'au moins une tête et répondait aux questions par de petits grognements qui faisaient frémir sa moustache. Ses yeux bleus avaient une teinte glaciale, et ses longs cheveux gris étaient rassemblés en queue de cheval sur sa nuque, comme tous les Saonus.

De nature plutôt taciturne, il inclina la tête devant la révérence de la jeune fille.

— Nous vous attendions, Zan 432, murmura la Saïna 263 du bout des lèvres. Nous avons encore des éléments à réviser avant que le Saonu 618 et vous traversiez.

Elle désigna un portail ovale formé d'un grand anneau de métal incrusté de circuits électroniques et de fils multicolores. C'était la première fois que Zan 432 voyait un vrai portail, elle qui n'avait utilisé que des décors virtuels lors de ses entraînements. Cette fois, pas de doute, elle allait franchir l'espace-temps et visiter un nouveau plan. Cet engin mystérieux causait des brèches interdimensionnelles de façon artificielle et permettait aux agents gaïens de se déplacer d'une dimension à l'autre et de se rendre à un endroit précis.

Lorsque la Saïna la rappela à l'ordre, elle détacha à regret son regard du portail étincelant.

Dirigés par le Saonu 774, plusieurs médecins entourèrent la jeune fille et la poussèrent sur un siège. Tandis qu'on vérifiait ses pupilles, on colla des ventouses sur sa poitrine, et à l'aide d'une seringue, on préleva une dose de sang de son bras. On déclara rapidement que la jeune fille était en parfaite forme physique, et Zan 432 se releva en papillotant.

La Saïna lui présenta ensuite d'étranges habits.

— Je crois qu'avec les études que vous avez effectuées durant les dernières semaines vous êtes convenablement préparée. Voici ce que vous porterez lors votre mission.

— Pour des questions d'hygiène, les Terriens changent d'accoutrement en général tous les jours, ajouta le Saonu 774. Vous veillerez donc à vous procurer quelques autres articles pour compléter votre uniforme.

Zan 432 grimaça dès qu'elle enfila les tissus rugueux aux couleurs flamboyantes. Sur Gaïa, elle n'avait que trois combinaisons noires fabriquées à partir d'un tissage de minuscules fibres de verre aussi douces que des fils de soie. À présent, déguisée en Terrienne, elle était affublée d'un collant rayé, d'une jupe courte, d'un t-shirt orné d'une souris hilare et d'un veston de denim bleu. De plus, ses bottines de cuir étaient usées.

La Saïna sourit de satisfaction; la métamorphose semblait convaincante. Le Saonu 618, lui, se retrouva avec une chemise à carreaux et un jean, mais comme toutes les chaussures des Terriens étaient trop petites, il mit des chaussettes et des sandales.

— Maintenant, sachez que le lien qui vous unira sur Terre sera de nature filiale, poursuivit le Saonu 774. Dans la région où vous irez, toute personne n'ayant pas atteint l'âge de dix-huit ans doit être sous la tutelle d'un ou de deux adultes, habituellement de sexe opposé. Puisque nous envoyons notre meilleur agent, un seul tuteur sera requis. Zan 432, vous répondrez donc au Saonu 618 par le nom de « papa ».

— Papa ? répéta Zan 432 en renversant la tête pour observer le géant à ses côtés.

Elle se demanda s'il pouvait passer pour son géniteur, elle qui avait été conçue *in vitro* et n'avait jamais eu de parents.

— Et vous, Saonu 618, vous appellerez Zan 432 « ma fille ».

Il acquiesça d'un signe de tête.

— Cela dit, nous allons vous expliquer les enjeux de la mission.

Le Saonu 774 s'avança alors vers une table de verre où était projetée la carte holographique d'une ville.

— Voici l'endroit où vous habiterez…

Une lueur rouge illumina une maison lorsque le Saonu 774 posa le doigt dessus. Il traça ensuite une ligne complexe et relia la demeure à un autre bâtiment.

— … et voici le lieu où nous croyons avoir découvert la brèche entre Fungiia, la dimension des Mycoloïdes, et la Terre. Il s'agit d'un pavillon d'enseignement pour les Terriens âgés de douze à dix-sept années terrestres. Zan 432 a quatorze cycles ; il sera donc facile pour elle de s'infiltrer dans ce milieu afin de trouver cette brèche et la refermer.

Zan 432 tendit le cou pour voir l'édifice oblong qui représentait son futur champ de bataille. Il y avait peu d'arbres dans cette région. De grandes étendues gazonnées et des rubans de bitume s'entrecroisaient. Ce paysage ne semblait guère accueillant.

La Saïna se tourna alors vers Zan 432, les poings sur les hanches.

— Cette mission demande un maximum de discrétion. Il ne faut absolument pas répéter le fiasco de votre examen de niveau, Zan 432. Nous voulons en profiter pour mieux comprendre les comportements des Terriens, savoir ce qu'ils pensent, comment ils réagissent, etc.

Zan 432 déglutit. Heureusement, le Saonu 774 enchaîna d'un ton rassurant:

— Le Saonu 618 vous épaulera dans vos démarches et sera en mesure de vous venir en aide au moment opportun. Enfin, vous pourrez entrer en contact avec nous par l'entremise du Saonu, qui utilisera le Neuropode, un ordinateur de navigation interdimensionnelle qui sera installé dans votre demeure.

Le Saonu 774 tendit ensuite d'étranges machines au Saonu 618 et à Zan 432. Ces ordinateurs portatifs étaient fabriqués non pas en métal, mais en une substance organique similaire à la peau. Le centre, muni de plusieurs écrans holographiques, était entouré de cinq pattes qui s'agrippaient au poignet telles des sangsues. Durant leur mission, ces dispositifs resteraient sur les deux agents.

— Nous garderons votre trace grâce aux Syctids à vos poignets.

Il s'adressa à Zan 432.

— Ce sont des originaux, pas comme ces appareils virtuels que vous utilisez lors de vos entraînements. Ils agissent tels des émetteurs et nous permettent de vous suivre puisqu'ils sont en symbiose avec vous. Si vous retirez votre Syctid, nous perdrons vos coordonnées. Ainsi, ne l'éloignez jamais de vous à moins d'y être absolument obligée. En tant qu'élève, vous ne pouvez pas l'utiliser pour communiquer directement avec Gaïa et je ne vous recommande pas de voyager par les brèches artificielles qu'il provoque… Vous devez passer par le Saonu 618. Les portes qu'ouvrent ces appareils peuvent mener n'importe où sur la planète. Ils sont aussi munis de plusieurs fonctions intégrées, dont celles d'analyseur de composés chimiques et de détecteur de particules. Quand vous accrocherez le dispositif à votre poignet, il faudra quelques heures avant qu'il soit pleinement fonctionnel. Enfin… Vous avez déjà eu des cours pour vous familiariser avec ce type d'appareils.

— Et attention ! avertit la Saïna. Si vous espérez demeurer discrète, veillez à dissimuler votre Syctid et votre sabre lorsque vous circulerez parmi les Terriens. Voilà, c'est tout.

Zan 432 sentit la nervosité la gagner. Elle rassembla certains éléments qu'elle devait apporter : des orbes amnémoniques, en cas d'urgence, et son sabre qui constituait l'objet le plus précieux qu'elle possédait. Elle l'avait reçu lors de son accession au niveau Zan et ne le quittait qu'au moment de dormir.

— Activez la brèche, ordonna la Saïna.

Au centre de l'anneau, entre les circuits, se forma alors une pellicule mince et trouble, parcourue de décharges électriques. Impressionnée, Zan 432 se tenait raide. À ses côtés, le Saonu 618, lui, ne bronchait pas. Ce n'était pas sa première mission dans une autre dimension.

Avant que le portail vers la Terre soit complètement ouvert, Zan 432 se tourna vers la Saïna et demanda avec une profonde révérence :

— Avec mon respect, Saïna, est-ce que cela me fera accéder au prochain niveau ?

— Tout dépend du succès de votre mission, lâcha la Saïna d'une voix froide.

Le Saonu 618, d'ordinaire impassible, sourcilla légèrement à cette réponse. Mais puisqu'il était inférieur à la Saïna, il lui était inutile de discuter. Sans plus se préoccuper du commentaire, il songea qu'il accomplirait son devoir de son mieux, comme toujours.

Quant à Zan 432, elle réalisa que la Saïna ne comptait pas beaucoup sur la réussite du projet. La jeune fille aurait bien voulu savoir pourquoi la Saïna l'avait choisie, elle, pour remplir une mission aussi importante et complexe.

Bienveillant, le Saonu 774 posa sa main potelée sur l'épaule de Zan 432.

— Tout se déroulera bien, vous verrez…

Le portail émettait à présent une lueur aveuglante.

— À la grâce de Gaïa, salua la Saïna.

Sans un regard en arrière, le Saonu 618 s'avança vers le passage et fut happé par la gueule éblouissante de l'anneau. Zan 432 risqua un dernier coup d'œil vers l'armée de scientifiques qui observaient la scène. Elle croisa les yeux noirs et le sourire acéré de la Saïna, puis l'air incertain du Saonu 774.

L'adolescente se demanda si la traversée serait douloureuse. Elle ferma les paupières avant de se lancer dans la lumière.

3

Béatrice sortit de sa chambre en s'étirant. Levant les bras au ciel, elle fit craquer ses vertèbres endolories par le travail de précision qu'elle effectuait. Depuis déjà plusieurs semaines, elle assemblait un robot destiné à l'exposition scientifique régionale.

Elle bâilla et cilla, tandis que dansait devant ses pupilles un kaléidoscope de fils, de circuits et de transistors enchevêtrés.

— Béatrice, ton repas refroidit ! gronda son père au rez-de-chaussée.

— Oui, oui ! J'arrive ! s'écria-t-elle avant de descendre l'escalier en quelques bonds.

Elle prit place à la table. Ses parents, Simone et Julien, observaient son petit frère, Émile, qui s'amusait à catapulter sa purée depuis sa chaise haute.

— Non, Émile. Il faut manger… Miam ! C'est bon ! tenta sa mère en ingurgitant une bouchée.

Émile tendit sa petite main potelée vers

la cuillère et engouffra son repas. Béatrice sourit, et son père lui servit une généreuse assiette de pâtes nappée d'une sauce de couleur douteuse.

— C'est quoi, ça ? demanda-t-elle, sceptique.

— C'est un pesto aux coprins chevelus. J'ai trouvé ces champignons près de ton école. Il y en avait des talles et des talles ! Certains avaient même percé l'asphalte pour sortir ! s'exclama-t-il, émerveillé par sa découverte.

— Papa, tu n'exagères pas un peu ?

— C'est un vrai paradis mycologique ! Je tonds des gazons tous les jours et je n'ai jamais vu autant de spécimens ! Allez, goûte !

La fourchette près des lèvres, Béatrice examina ses parents avant d'avaler sa première bouchée. Son père, un éternel adolescent qui assistait à des concerts d'Ozzy Osbourne et jouait à des jeux vidéo, était jardinier. Sa mère, une petite femme forte et perspicace aux cheveux flamboyants, était travailleuse sociale auprès des jeunes en difficulté. En baissant les yeux sur son repas, Béatrice songea que sa famille était peut-être un peu bizarre.

Pourtant, il y avait longtemps de cela,

Jimmy lui avait avoué qu'il aurait aimé avoir ses parents à elle, et non les siens.

— Quoi de neuf à l'école ? s'enquit sa mère.

— J'avais un atelier de maths à midi, et personne ne s'est présenté. J'attendais Jimmy pour l'aider, mais je l'ai trouvé en train de se battre dans la cour d'école.

— J'ai toujours su que Jimmy avait de la graine de voyou, marmonna son père.

— Papa ! Ce n'est pas vrai ! Quand on était plus jeunes, il me protégeait tout le temps et me donnait ses jouets… Il n'a pas changé tant que ça, même s'il est un peu rebelle.

— Et Kazuo qui habite à côté ? Il a l'air d'un bon gars. Il ne t'intéresse pas, lui ?

Béatrice pouffa.

— Franchement, papa ! C'est le joueur étoile de l'équipe de soccer ! Je ne crois pas être son genre.

— Une belle fille comme toi ? Allons donc ! Tu dois faire craquer plein de gars !

— Papa…

— Tu es le portrait de ta mère et…

— … et tu ne me regardais pas à cet âge-là, Julien ! intervint sa mère. Rappelle-toi, il a fallu qu'on se revoie à l'université pour que tu daignes m'adresser la parole !

Julien prit un air surpris.

— Tu vois, papa ? Au moins maman est honnête, elle. À quinze ans, ce que les garçons cherchent, ce sont des filles roulées comme des déesses, qui ont une grosse poitrine et des jambes jusqu'à demain. Ça ne les enchante pas de discuter avec une maigrichonne à lunettes !

— Simone ! Où est-ce que notre fille a pigé des idées pareilles ? s'indigna son père.

— À l'école de la vie, mon cher Julien.

Émile approuva en lançant de la bouillie dans la lentille de Béatrice.

— Bon, puisque je ne plais pas à Émile non plus, je remonte travailler à mon robot, grommela-t-elle en contenant sa colère.

Excédée, elle se leva et quitta la table.

Julien se tourna vers Simone avec un air interrogateur, et celle-ci haussa les épaules avec un sourire entendu.

***

Kazuo claqua la porte de sa maison et s'engagea d'un pas rapide sur le trottoir. Il ne sentait même plus la blessure causée par la raclée de Jimmy. La main tremblante, il essuya les larmes qui lui embrouillaient la vue. Il avait envie de marcher jusqu'à ce qu'il ne reste pas de bitume à fouler, jusqu'au bout du monde, et plus loin si c'était possible.

Il passa devant la maison des Paradis et remarqua une lueur à l'étage. Comme une fourmi, Béatrice était encore au boulot à cette heure, et il pouvait distinguer sa tignasse rousse penchée sur la table de travail, affairée à un autre projet prodigieux.

Béatrice était chanceuse : elle avait des parents ouverts d'esprit qui lui permettaient de faire ce qu'elle voulait. Ils ne critiquaient ni son comportement ni sa tenue vestimentaire. Pourtant, cette drôle de fille demeurait sage et raisonnable : elle ne se laissait jamais aller à aucune incartade, elle s'acharnait à ses travaux scolaires et à ses activités parascolaires. Par-dessus le marché, elle trouvait du temps pour aider des étudiants qui éprouvaient des problèmes dans certaines matières. Mais Béatrice avait accepté cette responsabilité par choix et non par contrainte.

Lui-même réussissait plutôt bien à l'école. Il avait de bonnes notes. Il était capitaine de l'équipe de soccer. Il était aussi très populaire, avait un beau cercle d'amis et plaisait beaucoup aux filles. D'ailleurs, Nadia Fréchette, la copine de Jimmy Desjardins, l'avait invité au cinéma... Belle victoire après le combat de cet après-midi.

Hélas, rien ne le tentait ce soir. Il portait la rage dans son cœur.

Kazuo se redemanda encore pourquoi il avait provoqué cette bagarre avec Jimmy. Bien sûr, ce n'était un secret pour personne, il ne l'aimait pas. Il était vulgaire et méchant. Pourtant, il savait que Jimmy n'avait pas fait exprès de cracher à côté de lui. Dans ce cas, qu'est-ce qui avait poussé Kazuo à agir ainsi ?

C'était comme si sa soupape avait explosé après une semaine de sermons paternels.

Kazuo soupira. Son père, un ex-militaire japonais, champion d'arts martiaux, ne visait rien de moins que la perfection pour son fils unique. Il n'était pas facile de vivre avec l'épée de Damoclès suspendue en permanence au-dessus de la tête.

Tous ses succès — les notes, la popularité, l'aptitude pour les sports — semblaient motivés par la crainte: il n'avait d'autre choix que d'être exemplaire.

La suspension de trois jours que le directeur Samson venait de lui imposer avait ébranlé le noyau familial. Son père était convaincu à présent d'avoir un fils délinquant et de devoir resserrer la vis sinon sa cause serait perdue. Si seulement sa mère le défendait parfois... Mais non. Elle était soumise au joug de son père.

Il sortit de ses pensées obscures lorsqu'il arriva au bout de la rue. Avec un demi-sourire, il songea qu'il n'était pas vraiment parvenu aux confins du monde et il rebroussa chemin.

Son œil fut alors attiré par un flash provenant de la dernière maison du cul-de-sac. Curieux, il s'approcha. Pendant un court instant, il aperçut deux silhouettes qui se déplaçaient derrière les fenêtres maculées de poussière. Cette demeure était à vendre depuis plusieurs années, et il semblait maintenant qu'une nouvelle famille l'habitait.

Kazuo haussa les épaules et continua à marcher.

***

Jimmy attendait Nadia depuis près d'une heure.

Elle ne viendrait pas. Peut-être qu'elle était déjà partie dans sa famille en vue de la fête du lendemain. Malgré tout, il avait l'amer sentiment qu'elle se moquait de lui.

Sans pouvoir dire pourquoi, il ne faisait pas confiance à cette fille qui se pavanait en exhibant ses nouveaux copains comme des trophées. Était-il la saveur du mois dernier qui ne cadrait plus avec la tendance de la nouvelle saison ?

Jimmy jeta un coup d'œil à la ronde sur le terrain de jeux de l'école pour la repérer. Personne. Il remarqua par contre une masse blanche dans le gazon. Quelqu'un avait dû oublier son ballon de volley-ball.

Il se pencha pour ramasser l'objet, mais il était lisse et mou. On aurait dit une matière organique, vivante. Dégoûté, Jimmy retira sa main et se redressa. Il était entouré d'un anneau de ces étranges organismes qui poussaient dans la pelouse, tous plus gros les uns que les autres.

Avec une grimace, il prit sa planche à roulettes et s'enfuit du cercle insolite.

4

Zan 432 consulta le Syctid qu'elle portait à son poignet gauche. Cinq heures cinquante-neuf. Elle étouffa un bâillement. À cause du décalage dimensionnel, elle n'avait pu trouver le sommeil même si c'était sa sixième nuit dans sa nouvelle demeure. Un symptôme normal, l'avait avertie le Saonu avant le couvre-feu. Les odeurs, les matériaux inconnus qui l'entouraient, son organisme qui s'adaptait lentement à cet environnement et le fait qu'il s'agissait de sa première mission en dimension étrangère provoquaient une excitation de ses sens et l'empêchaient de dormir.

Comme tout débutant des voyages interdimensionnels, elle souffrait d'étourdissements, de nausées ainsi que de crises d'asthme. La traversée n'avait pas été douloureuse en soi, mais ses effets étaient inquiétants. Le Saonu, lui, n'avait eu droit qu'à quelques brûlures d'estomac et à un tic à l'œil droit.

Le portail s'était ouvert au milieu d'une maison aux murs blancs et aux planchers couverts d'une étrange matière laminée ayant l'apparence du bois. Le Saonu l'avait accueillie, bras croisés, lorsqu'elle avait été catapultée hors de la lumière. Encore abasourdie par le choc du voyage, Zan 432 avait cligné des paupières pour chasser les lucioles immatérielles qui attaquaient sa vue. Puis elle avait respiré, et l'air vicié de la Terre lui avait donné l'impression d'avaler une poignée d'aiguilles. Étranglée et paniquée, elle avait ingéré à petites lampées un sérum contre le mal du transport, que le Saonu avait apporté.

Dès le lendemain de leur arrivée, le Saonu et elle avaient monté le Neuropode qui leur permettrait de communiquer avec Gaïa. Les trois jours suivants, ils s'étaient installés dans la maison à la manière des Terriens. Des agents secrets de Gaïa étaient venus quelques jours auparavant afin de choisir la résidence. Pour rendre leur foyer fictif crédible aux yeux des voisins, il fallait meubler cette demeure, aller dans un centre de distribution de matériel, apprendre comment fonctionnaient les éléments de base dont se servaient les Terriens — le poêle, la douche, les toilettes, etc. — et, enfin, trouver un moyen de locomotion : ils avaient arrêté leur choix sur des vélos.

Au cours des travaux qu'elle effectuait dans la maison avec le Saonu, Zan 432 avait remarqué que quelques Terriens dont le voisin, un homme chauve et bedonnant, avaient coupé leur pelouse à l'aide d'une machine aussi bruyante que ridicule pour lui donner un motif régulier. Tous les gens du quartier s'adonnaient à ce même rituel, et il n'y avait que chez elle et le Saonu que les herbes folles poussaient librement.

Zan 432 avait également entrevu quelques personnes de son âge : une petite rouquine à l'air maussade avait emprunté le sentier à droite de la maison pour s'enfoncer dans un boisé, et un jeune homme aux cheveux noirs et aux yeux bridés rôdait souvent près de la demeure.

Zan 432 baissa de nouveau les yeux sur l'écran à son bras. Six heures. Elle bondit au pied de son lit, droite comme une statue et le menton haut.

Le Saonu se présenta sur le seuil de sa chambre et se heurta le front contre la paroi supérieure du cadre de porte.

— Nabots de Terriens ! maugréa-t-il.

Elle inspira un petit coup pour réprimer

son accès d'hilarité. Les mains jointes à la hauteur de la poitrine et les chevilles collées, elle se pencha en avant en un salut respectueux.

— Bonjour, Saonu.

— Papa ! Il faut dire papa ! lui reprocha-t-il. Et désormais, n'utilisez plus le gaïen pour communiquer !

— Bonjour, papa, reprit-elle.

— Aujourd'hui, ma fille, notre programme consiste à aller vous inscrire à l'établissement d'enseignement. Votre mission débute ici, et je sais que vous saurez bien répondre aux questions qui vous seront posées.

— Je suis prête, papa !

***

Raoul Samson pensait aux deux élèves suspendus qui reprenaient leurs cours ce jeudi matin lorsque son adjointe frappa à sa porte. Le visage dans l'embrasure, elle le gratifia d'un radieux sourire.

— Bonjour, Raoul ! Nous avons une petite nouvelle à inscrire !

— Bien ! À quel niveau ?

— Je n'en ai aucune idée. Elle arrive de nulle part et n'a de dossier dans aucune école de la province, ni de bulletin de notes. Ce sont ses parents qui se sont chargés de son instruction jusqu'ici. Puisque c'est un cas spécial, je préférais vous laisser cela entre les mains…

Raoul sourcilla.

— Bon, si c'est ainsi, je vais la recevoir.

Quelques secondes plus tard, une jeune fille aux cheveux d'un blond très pâle et aux yeux gris impassibles entra. Elle paraissait un peu crispée et arborait des vêtements qui avaient dû être à la mode au début des années 1980.

— Bonjour et bienvenue, mademoiselle… salua le directeur, affable.

— Mademoiselle Zan.

Une deuxième silhouette apparut à la porte. Le directeur renversa la tête, les yeux écarquillés. L'homme se pencha pour éviter de se cogner et pénétra dans la pièce qui sembla tout à coup exiguë. La première pensée qui vint à l'esprit de Raoul Samson était que ce géant devait être un lutteur scandinave. Le directeur présenta sa main à l'individu qui l'écrasa d'une poigne de fer.

Sentant son cœur battre dans sa paume endolorie, M. Samson retourna derrière son bureau et examina le personnage insolite.

Malgré son air noble de Viking des temps modernes, l'homme était vêtu comme un hippie avec des chaussettes de laine et des sandales.

— Je suis le papa, affirma celui-ci d'une voix monocorde.

— Parfait. Puisque votre fille n'a pas de dossier, je vais devoir remplir certains formulaires. Après un test d'aptitude, je pourrai m'arranger pour qu'elle commence ses cours dès aujourd'hui, assura gentiment le directeur.

Il sortit un formulaire et entreprit de remplir les cases vides.

— Votre prénom, mademoiselle Zan ?

— Pré – nom ?

Zan 432 parut décontenancée, et le Saonu lui fit les gros yeux. Le regard de la jeune fille balaya ensuite la pièce ; elle avait oublié de se choisir un prénom ! Elle devait en trouver un et vite ! Son attention se posa sur une affiche où figurait un félin qu'elle n'avait jamais vu dans ses études terriennes. Elle lut un acronyme en bas de l'image : ZEC. Le son de ce groupe de lettres lui donna une idée.

Le directeur leva le nez pour obtenir sa réponse.

— Zec.

— Zec ? reprit M. Samson, perplexe.

Ah non ! Ce n'était pas bon ! Le Saonu lui administra une petite pression sur l'omoplate en signe d'impatience. Elle songea aux noms terriens qu'elle avait entendus et tenta autre chose.

— Zec - ie ?

Plusieurs noms féminins ne finissaient-ils pas par « ie » ?

— Zeckie ?

— C'est ça ! Zeckie Zan ! s'exclama-t-elle avec un peu trop d'enthousiasme.

— C'est original, dit M. Samson en souriant et en noircissant les cases d'une écriture illisible.

Le reste de l'entrevue se passa presque sans encombre, et celle qui portait à présent le nom de Zeckie Zan récita tous les renseignements sous l'œil autoritaire du Saonu.

— Le prénom de votre père ?

— Euh… Saonu, bredouilla-t-elle.

— … Et de votre mère ?

Cette fois, Zeckie se tourna vers le Saonu, la détresse inscrite sur le visage.

— Elle n'a qu'un seul adulte pour tuteur. Elle n'a pas de mère.

— Elle est décédée ?

Le Saonu hésita, puis hocha la tête. « Pourvu que cette inquisition finisse », pensa Zeckie Zan, car personne ne voulait affronter la colère du Saonu !

M. Samson sentit l'agacement de Saonu Zan et décida d'abréger. Il le salua, sans poignée de main, et lui demanda de présenter l'extrait de naissance de sa fille pour le lendemain.

C'est ainsi que le Saonu laissa Zeckie à son sort et à sa mission. Le directeur fut surpris que Saonu Zan n'adresse aucune parole d'encouragement ou d'affection à sa fille avant de l'abandonner dans sa nouvelle école. Il savait pourtant combien les relations des parents avec leurs adolescents pouvaient être difficiles, surtout après un déménagement, plus encore pour un père seul.

Une expression d'angoisse passa sur le visage de Zeckie, aussitôt enfouie sous un masque inexpressif. En la scrutant, le directeur se dit qu'elle était bien mature et calme pour son âge. Si rangée et droite qu'elle semblait presque sortir d'une école militaire. Ce n'était certainement pas une élève à problèmes.

— Est-ce que je peux assister à mes cours maintenant ? demanda Zeckie.

— Avant tout, nous allons trouver à quel niveau te placer, expliqua le directeur. Ne t'inquiète pas, les tests de connaissances ne sont pas si difficiles !

5

Après une demi-heure passée à répondre à des questions déconcertantes de facilité dans un local vide aux néons grésillants, Zeckie Zan remit son examen au directeur. Celui-ci parut surpris qu'elle revienne si vite et il l'invita à attendre dans son bureau pendant qu'il compilait ses résultats.

Elle observa toutes les photographies qui encombraient les murs jaunes. Ce qu'elle y vit l'effraya. Des animaux dans des enclos, le directeur en habit de camouflage, un casque couvert de branches enfoncé sur le crâne, ou alors l'air triomphant, brandissant une énorme truite. Zeckie réprima une grimace de dégoût lorsque M. Samson revint dans le bureau.

— Vous n'aimez pas les animaux, monsieur Samson ? demanda l'adolescente.

— Euh… Je les adore. Pourquoi ?

— Drôle de façon de le montrer, marmonna Zeckie.

Avec un sourire dépité, il lui transmit les résultats.

— Tu es très douée, en plus d'avoir pris le quart du temps normalement requis… Et ce n'était pas nécessaire de faire la démonstration des théorèmes mathématiques dans les marges !

Il se racla la gorge, presque intimidé devant cette jeune fille qu'il aurait sans hésitation qualifiée de génie.

— À quatorze ans, tu devrais être en troisième secondaire, mais avec l'excellente note que tu as obtenue, nous te placerons au niveau suivant. Nous verrons ensuite…

Zeckie haussa les épaules avec indifférence. Qu'est-ce que ces barbares pouvaient lui apprendre ? Elle avait une mission à remplir, et c'était tout ce qui importait.

Après avoir informé Zeckie de l'horaire de ses cours, des services et des règlements de l'école, M. Samson laissa la nouvelle élève entre les mains de la représentante du comité étudiant. L'énergique fille aux joues roses et aux cheveux désordonnés lui secoua les doigts avec vigueur.

— Bonjour je m'appelle Sophie-Élise Gauthier-Lalancette bienvenue à notre école, débita-t-elle d'un trait.

La représentante lui fit faire le tour des lieux en un temps record, donnant devant chaque local des anecdotes ou des renseignements farfelus.

— Ici c'est la cantine il y a même un horaire pour les repas franchement la bouffe n'est pas mangeable il n'y a que le mercredi que les hamburgers sont passables aujourd'hui c'est le spaghetti et il baigne toujours dans l'eau et c'est un peu dégueulasse là-bas c'est l'agora où on présente parfois des spectacles…

« Par Gaïa, elle devrait peut-être se rappeler de respirer de temps en temps ! » pensa Zeckie, abasourdie par la fille névrosée.

— Ton premier cours est avec Mme Jolicœur elle est super gentille tu es chanceuse de l'avoir moi j'ai M. Lebrun en français et il est moche et ses cours semblent durer une éternité… Nous y voilà ta classe est au bout du corridor salut et bonne chance et encore bienvenue à plus tard, conclut Sophie-Élise avant de tourner les talons.

Décontenancée, Zeckie resta plantée au milieu du corridor lorsqu'un timbre résonna. Des élèves turbulents accoururent de toutes les directions, s'esclaffant et criant à tue-tête. Étonnée, Zeckie suivit le courant de cette foule déchaînée, craignant de se faire piétiner. En quelques minutes, tous gagnèrent leurs classes, et les couloirs redevinrent déserts.

D'un pas incertain, elle s'avança timidement pour observer les numéros inscrits au-dessus des portes. Une seconde cloche retentit. Zeckie franchit le seuil d'une pièce rectangulaire, à la lumière crue. Tous les visages se tournèrent dans sa direction.

— Bonjour ? souffla-t-elle, intimidée.

Une belle grande femme aux boucles brunes et au regard de velours lui adressa un sourire lumineux, puis l'attira à l'intérieur.

— Bienvenue ! Je suis Marie Jolicœur.

Vingt-six paires d'yeux examinaient la nouvelle venue sous toutes ses coutures.

— Tu pourrais te présenter.

Zeckie inspira profondément. La vie sur Gaïa adaptait mieux ses agents aux combats qu'aux relations humaines et aux discours.

— Je m'appelle Zeckie Zan. Je... euh… suis originaire de Norvège et j'ai quatorze ans, articula-t-elle avec un étrange accent.

Quelqu'un pouffa à l'arrière de la classe, et on continua à la scruter de façon indiscrète.

— Bien. Tu peux prendre la place libre devant Jimmy, à côté de Nadia.

Au passage, Zeckie remarqua des visages familiers. Au premier rang, il y avait la petite rouquine qu'elle avait aperçue près de chez elle. Puis il y avait ce garçon aux yeux bridés qui l'espionnait depuis son arrivée dans le quartier.

Zeckie se dirigea vers le pupitre qui lui avait été assigné. À sa droite, une fille au visage peinturluré lui lança un coup d'œil mauvais. Le jeune homme au fond garda son capuchon baissé et le menton appuyé sur ses bras croisés.

— Aujourd'hui, j'aimerais que vous continuiez les nouvelles littéraires que vous aviez commencées au dernier cours. N'oubliez pas de suivre les consignes de votre cahier. Zeckie, tu peux emprunter celui de Nadia.

Avec un claquement de langue irrité, Nadia jeta son livre aux contours déchirés et envahi de gribouillis sur le bureau de Zeckie.

Pendant qu'elle feignait de lire le texte, Zeckie inspecta la classe : y avait-il un Mycoloïde ici ? Il y avait déjà un bout de temps que ces organismes se propageaient dans cette ville, et on savait qu'ils excellaient dans l'art du camouflage. Ils s'intégraient parfaitement au monde humain, pratiquant divers métiers et cultivant des relations avec leurs collègues. C'est pourquoi leur invasion était si dangereuse; avec leurs déguisements, ils s'infiltreraient dans cette dimension jusqu'à ce qu'ils la dominent.

Les yeux de Zeckie croisèrent ceux d'un garçon effacé et fade. Ni beau, ni laid, ni grand, ni petit… tout ce qu'il y avait de plus ordinaire. Cela en faisait un suspect, car, pour éviter les soupçons, les Mycoloïdes se fondaient dans la masse.

Zeckie consulta le Syctid. Discrètement, elle pianota sur les touches pour activer le détecteur d'organismes étrangers. En effet, il y avait au moins deux Mycoloïdes dans cette pièce! Mais sa mission devait passer inaperçue, et elle ne pouvait les renvoyer dans leur dimension comme ça, au beau milieu d'un cours.

— Ça va, Zeckie?

La jeune fille sursauta et tira sa manche sur l'ordinateur à son bras.

— Je sais qu'il n'est pas facile de composer un texte durant son premier cours. Songe à ton sujet jusqu'à la semaine prochaine si tu n'es pas inspirée, la rassura Marie Jolicœur.

Zeckie répondit par un sourire forcé. L'enseignante poursuivit sa ronde et s'appuya sur le bureau de Jimmy qui semblait avoir repris vie et noircissait sa feuille de pattes de mouches. Dès qu'il sentit Mme Jolicœur se pencher sur son travail, il lâcha son crayon et prit un air buté.

— Jimmy, tu es le roi du suspense, mais fais un effort pour ton orthographe. Et essaye de réduire les effusions de sang…

— C'est bon, le sang.

— Quand on en met trop, on gâche parfois l'effet de terreur chez le lecteur. Surveille ça, Jimmy !

En avant, Béatrice rigola de satisfaction. Marie avait le don de dire ce qu'il fallait à Jimmy pour lui clouer le bec ! Il s'était bien trompé s'il avait pensé impressionner cette adepte de romans d'horreur et de science-fiction avec ses petits récits macabres…

Lorsque le timbre résonna de nouveau, Zeckie eut à peine le temps de lever la tête que les élèves s'étaient enfuis. Sans un mot, Nadia Fréchette lui avait même retiré son cahier d'exercices de sous le nez. Décidément, l'hospitalité et la politesse n'étaient pas dans les mœurs de tous les Terriens…

Puisque la jeune fille s'attardait, Marie Jolicœur crut bon de mentionner :

— C'est l'heure du lunch. Sais-tu où se trouve la cantine ?

Zeckie hocha la tête et se dirigea vers la porte en scrutant les murs d'une étrange façon. Avant qu'elle sorte, l'enseignante l'intercepta :

— C'est très intimidant d'être catapultée dans une école qu'on ne connaît pas. Si tu as des tracas, tu peux venir m'en parler, je me ferai un plaisir de répondre à tes questions. N'hésite pas !

Zeckie se contenta de sourire et s'engagea dans le corridor.

Si le reste de l'école semblait calme à cette heure, la cantine bourdonnait comme une ruche. En voyant une file de jeunes qui attendaient avec un plateau de plastique entre les mains, Zeckie les imita. Ce n'était pas bien différent des heures de distribution d'éléments nutritifs essentiels sur Gaïa. Elle écouta attentivement les commandes des étudiants avant elle, puis se retrouva à son tour devant une grosse femme coiffée d'un filet.

— Qu'est-ce que tu veux, ma chouette ? demanda-t-elle d'une voix rauque.

— Euh… les spaghettis ?

La matrone au visage luisant de sueur plongea des pinces dans un grand plat de métal et en sortit un amas de lombrics mouillés qu'elle jeta dans une assiette. Ceux-ci furent aussitôt noyés sous une louche de sauce rouge grumeleuse et volèrent sur la tablette qui séparait Zeckie des cuisines.

— Suivant ! hurla la dame tandis que Zeckie plaçait avec une grimace son repas peu appétissant sur son plateau.

Elle attrapa au passage une pomme et une bouteille d'eau — seules choses qu'elle reconnaissait — et fut confrontée à une autre femme qui attendait sa monnaie.

Ici, la jeune Gaïenne mit à l'épreuve les notions acquises à propos du système de paiement des Terriens. La caissière prit son argent avec indifférence, et Zeckie fut bousculée vers les tables bondées. Les choses allaient si vite qu'elle avait à peine le temps d'observer. Et si le repaire des Mycoloïdes était dans les cuisines ?

Elle choisit une table au fond de la salle, où peu d'adolescents prenaient place. Il y avait un garçon avec un impressionnant enchevêtrement de métal sur les dents, un blond grassouillet et une grande fille costaude avec un chandail à numéro. Elle aperçut aussi la fille rousse du cours de français et la salua courtoisement avant de s'asseoir. C'est avec un air de dépit que Zeckie joua avec ses pâtes alimentaires à l'aide d'un ustensile à pointes, ne sachant comment absorber ce mystérieux repas. Sous l'œil intrigué des autres occupants de la table, elle réussit à en ingurgiter à même l'assiette. Elle fut agréablement surprise par le goût de cette mixture.

— Vous n'avez pas de spaghettis en Norvège ? ironisa Béatrice.

— Euh… non, bredouilla Zeckie en essuyant son visage barbouillé. C'est meilleur que ça en a l'air ! Puis-je vous interroger sur la composition de ce plat ?

Béatrice et ses amis froncèrent les sourcils, étonnés par la question.

— Eh bien… la sauce est faite de tomates, de carottes, de céleri et de bœuf haché, répondit Béatrice, certaine que la nouvelle se moquait d'elle.

Zeckie cessa de mastiquer et devint livide.

— Du bœuf ? Je… je viens d'ingérer le cadavre d'un animal ? murmura-t-elle, la voix chevrotante.

Béatrice et ses amis acquiescèrent.

Tout se mit à tourner autour de Zeckie.

***

Zeckie ouvrit les paupières et fixa le plafond blanc. L'espace d'une seconde, elle songea qu'elle était revenue dans la dimension de Gaïa, mais une adolescente à l'air mutin se pencha sur elle avec un demi-sourire.

— Pour une entrée fracassante dans une école, je peux affirmer que c'est réussi ! s'exclama-t-elle avec un éclat de rire cristallin.

— Où suis-je ? interrogea Zeckie en se levant du lit où elle reposait.

— À l'infirmerie. Je ne sais pas si tes spaghettis n'étaient pas frais, mais tu en as tapissé le sac à dos de Nadia Fréchette ! Et moi, je n'ai pas pu m'empêcher de rire, alors je te jure qu'elle va partir en croisade contre nous deux !

La jeune fille tendit les doigts.

— Moi, c'est Béatrice. Je crois que nous devrions nous allier avant la guerre !

Encore abasourdie, Zeckie serra la main devant elle. Elle n'avait pas su rester discrète lors du premier jour de sa mission. Désormais, les rumeurs courraient sur son compte...

— Tu es végétarienne, c'est ça ? demanda Béatrice.

Zeckie hocha la tête. Béatrice consulta sa montre.

— Oh ! Si tu as l'estomac assez solide, il faut vite aller au cours de maths de Mme Lépine ! Sinon nous devrons nous tenir près du tableau pendant toute la période pour faire la démonstration de ses théorèmes à la noix !

***

Plus tard, étendue dans sa chambre, Zeckie repensa aux événements de la journée. Malgré son passage remarqué à la cantine, son infiltration s'était bien déroulée. Elle commençait à tisser sa toile pour repérer les Mycoloïdes et la brèche par où ils se faufilaient. Durant l'après-midi, elle avait discrètement procédé à plusieurs lectures à l'aide du Syctid. Tout indiquait que le passage se trouvait sur le terrain de l'école, mais à l'extérieur du bâtiment principal. Elle avait aussi remarqué des élèves suspects sur lesquels elle garderait un œil.

Béatrice Paradis, elle, était beaucoup trop typée pour être un Mycoloïde. Au contraire, la petite rouquine pourrait s'avérer une personne-ressource intéressante.

Nadia Fréchette, de son côté, n'était rien d'autre qu'un gros ego sur pattes. Cette fille lui avait d'ailleurs lancé des regards menaçants pendant le cours de mathématiques.

Sophie-Élise Gauthier-Lalancette parlait démesurément, Jimmy Desjardins renfermait beaucoup de colère et Kazuo Miyabe n'avait rien de banal. Aucun de ces individus n'avait les caractéristiques d'un habitant de Fungiia.

Zeckie songea qu'elle avait hâte de revoir cette galerie de personnages singuliers. Ils étaient si indisciplinés, si imprévisibles…

— Couvre-feu ! gronda une voix.

— Déjà ? laissa échapper Zeckie en se levant pour se mettre au garde-à-vous.

Ce commentaire fit tiquer le Saonu. Les élèves ne devaient jamais contester l'autorité des Saonus.

Il s'apprêtait à le rappeler à Zeckie, sauf que la journée avait été assez éprouvante pour elle. Il se contenta donc de marmonner :

— Soyez prête pour votre entraînement de sabre demain matin à six heures, ma fille !

Il éteignit la lumière et referma la porte avec un claquement sourd. Zeckie resta un moment dans la pénombre, partagée entre son envie d'obéir et celle de défier le Saonu. Gaïa conseillait néanmoins à ses enfants de suivre le chemin indiqué par leurs guides, et Zeckie se soumit aux recommandations du Saonu en s'allongeant sur son lit.

Avant de fermer l'œil, elle songea à sa surprenante mission. Qu'allait-il se passer le lendemain ?

Rapport 1.0
Identification : 2259-826-1935-0-432
Niveau : Zan
Dimension : Terre

État de l'enquête : Brèche présente sur terrain d'établissement scolaire. Invasion de stade précoce, mais significative. Mycoloïdes potentiels repérés.

Observations : Terriens primitifs. Polluent, mangent animaux, ont difficultés d'apprentissage dans matières de base, sont indisciplinés et imprévisibles. Certains individus accueillants et curieux (trop). D'autres réfractaires aux liens avec inconnus. Surtout jeune fille nommée Nadia Fréchette.

Avis aux agents gaïens : Nourriture digeste limitée. Goût intéressant, mais valeur nutritive douteuse.

6

— James Desjardins ! Tu te moques de moi ! Tu fais exprès de ne rien comprendre ! rouspéta Béatrice, à bout de patience.

Jimmy esquissa un sourire narquois et se laissa aller contre le dossier de sa chaise, les mains croisées derrière la tête. Cette séance de rattrapage en mathématiques s'avérait bien amusante.

— Je t'avais avertie que mon crâne était vide ! Pourquoi croyais-tu pouvoir m'aider ?

— Parce que je te connais et que tu es assez intelligent pour saisir les équations simples du cahier d'exercices ! L'algèbre, ce n'est pas plus compliqué que de savoir ce que font 1 + 1…

— Quatre ? répondit-il avec un air innocent.

Au son du rire de Jimmy, Béatrice grogna de rage et jeta sa craie sur le sol.

— Tu es impossible !

Jimmy rassembla ses livres dans son sac

de toile kaki, couvert d'écussons à l'effigie de groupes de musique punk.

— Abandonne, Béa! Je suis un débile, une vraie cruche!

— Quelqu'un qui a de l'imagination comme toi n'a rien d'un idiot! protesta-t-elle.

Jimmy haussa les épaules avec indifférence.

Béatrice s'approcha de lui en le défiant du regard. Il terrorisait tout le monde à l'école. Pourtant, il ne l'intimidait pas le moins du monde. Elle se permit d'explorer un instant son visage mince et creusé de cernes violets. Où diable était passé son ami d'enfance avec qui elle attrapait des grenouilles dans le ruisseau près de la maison, vendait de la limonade au coin de la rue ou bâtissait des cabanes dans les arbres? Son inséparable compagnon qui n'hésitait pas à la défendre face aux méchants garçons du quartier?

Depuis que les parents de Jimmy avaient envoyé leur fils dans un collège privé en Suisse, ils ne s'étaient pas vraiment reparlé. M. Desjardins croyait que cette expérience assurerait l'avenir de Jimmy; les résultats attendus n'avaient pas été obtenus.

Révolté par la discipline militaire qui régnait dans ce collège, l'adolescent s'était fait renvoyer moins d'un an plus tard. Après une autre expulsion d'une école huppée, son père, déçu, avait renoncé, désormais convaincu qu'il n'y avait rien à espérer de ce mauvais garnement.

— Les cigarettes ont dû me brûler la cervelle ! ricana le jeune rebelle en se dirigeant vers la porte du local.

— Je ne goberai pas ça ! Même si ça ne t'intéresse pas de devenir le président de la compagnie de ton père, ça ne signifie pas que tu doives abandonner le reste…

Jimmy serra les dents.

— Qu'est-ce que vous avez tous à vouloir me psychanalyser ? Foutez-moi la paix et laissez-moi vivre !

— Dans ce cas, va donc te consoler avec Nadia ! railla la jeune fille en battant des cils pour imiter sa rivale.

— Ah ! Tu m'écœures, Béatrice Paradis !

Jimmy sortit en trombe de la pièce, bousculant Zeckie sur son passage. Étourdie par la scène, la jeune Gaïenne entra timidement dans la salle. Béatrice lui tournait le dos et frottait avec vigueur ses lunettes avec un pan de son chandail.

— Euh… C'est ici pour le rattrapage en mathématiques ?

Perdue dans ses pensées, Béatrice sursauta.

— Ah ! Zeckie ! Entre ! Maintenant que Jimmy est parti, nous allons pouvoir revoir la matière tranquillement.

Elle effaça les gribouillis qui couvraient l'ardoise, puis dit avec un air badin :

— Tu as pu trouver quelque chose de digeste à midi ?

Placide, Zeckie ne releva pas l'ironie dans le ton de Béatrice et répondit avec un sérieux déconcertant :

— Il est difficile de se procurer des plats sans produits dérivés des animaux. Heureusement, j'ai découvert les hot dogs et c'était délicieux !

Béatrice sourcilla : devait-elle dire la vérité à Zeckie ?

***

« Enfin vendredi », pensa Jimmy en filant comme le vent sur sa planche à roulettes. Cette fin de semaine, Nadia avait encore refusé son invitation sous prétexte qu'elle recevait chez elle une cousine de la Colombie-Britannique. Selon lui, elle cherchait des excuses pour échapper à sa compagnie. Son règne devait être fini, et un nouveau roi serait bientôt couronné, songea-t-il, cynique.

Il arriva devant sa maison. C'était une immense demeure seigneuriale en briques rouges avec de hautes colonnes blanches qui encadraient une entrée majestueuse. En ce début d'automne, des vignes cramoisies parcouraient la façade, donnant à l'architecture centenaire davantage de cachet.

Jimmy grimaça. C'était la plus belle résidence de la ville, mais il la détestait. Pas seulement le bâtiment: tout ce qu'il représentait aussi. Ses parents y attachaient une telle importance, de même qu'à leur apparence, leurs titres, leur niveau de vie... Leurs propres enfants étaient inscrits au bas de la liste des priorités.

Il attrapa sa planche à roulettes et traversa le parterre de fleurs d'un pas lourd sans se soucier des chemins pavés. Il pénétra dans la maison, laissant des traces de boue sur le plancher de marbre du hall, se dirigea vers la cuisine, puis perçut des voix.

Ses parents avaient daigné se pointer à la maison, entre un cocktail à New York et un voyage d'affaires à Londres, pour voir comment leurs enfants se débrouillaient.

Son nom fut évoqué plusieurs fois dans

la conversation, et Jimmy décida de renoncer à sa collation et de rebrousser chemin. Malheureusement, son père l'avait entendu entrer. Il l'intercepta, le toisant avec un air de mépris, les poings sur les hanches.

— Ah ! te voilà, toi ! Ta sœur me dit que tu as une fois de plus été suspendu de l'école la semaine dernière !

Si Jimmy était le portrait de son père, il n'existait pas deux êtres aux ambitions plus différentes.

L'adolescent ne répondit pas et se contenta de fixer un mur. Sa mère semblait confuse, et ses yeux reflétaient une profonde tristesse quand elle lui demanda :

— Qu'allons-nous faire de toi, James ? Nous t'avons tout donné ! De beaux vêtements, un bon toit, la meilleure éducation, des écoles hors de prix… Tu ne peux rien souhaiter de plus ! Et voilà comment tu nous remercies !

L'adolescent défia ses parents de ses yeux noirs et esquissa une moue dégoûtée. Sa mère avait oublié le plus important dans cette énumération...

Jimmy remarqua que sa sœur paraissait mal à l'aise.

— Merci, Laura ! Je te revaudrai ça ! siffla-t-il avant de tourner les talons.

— Attends, Jimmy ! Tu ne comprends pas ! tenta-t-elle pour le retenir.

— Reviens ici immédiatement, jeune homme ! Je n'ai pas fini avec toi ! rugit son père.

Jimmy claqua la porte qui menait au sous-sol et descendit les marches quatre à quatre pour échapper à la discussion qui continuait de s'envenimer au rez-de-chaussée. Enfin, il se retrouva dans sa chambre, son seul havre de paix. Il jeta son sac d'école dans un coin et s'étendit sur son lit dont le couvre-pied représentait le *Jolly Roger*, le fameux drapeau des pirates.

Ses écouteurs crachaient un rock endiablé qui engourdissait son cerveau. Il sortit sa tarentule de son vivarium et l'observa alors qu'elle se promenait sur son avant-bras. Elle soulevait ses huit pattes en cadence, ses sinistres pupilles brillant comme des billes polies. Parfois, le jeune homme s'identifiait à cette créature insolite, car sous son allure effrayante se cachait un être vulnérable. Au moins, sa tarentule pouvait compter sur sa présence et ses soins ; lui, de son côté, se sentait bien seul.

Il examina les centaines d'illustrations et de croquis qui couvraient les murs de la pièce. Il ne savait pas si ses parents avaient remarqué que le dessin était sa passion…

Jimmy prit place à son bureau, laissant son araignée errer librement entre les crayons, papiers, carnets et pinceaux. Il feuilleta une revue sur les films d'horreur et les trucages de cinéma, puis songea à la danse d'Halloween qui avait lieu dans environ un mois. Il eut une idée.

Dans son placard, il trouva une panoplie de flacons et de pots. Si son père croyait qu'il était paresseux et sans ambition, Jimmy avait de l'imagination et avait découvert un très bon moyen de se faire de l'argent. Il ignorait si c'était permis sur le territoire de l'école, mais ça n'allait certainement pas l'arrêter…

***

Zeckie constata que le meilleur moyen d'évacuer une école en un temps record était de sonner la cloche du vendredi après-midi.

Seule dans l'allée de casiers, l'adolescente gaïenne rassemblait ses cahiers d'exercices dans un sac quand Sophie-Élise Gauthier-Lalancette la surprit. Tout sourire, la jeune fille lui tendit une feuille orange.

— Voici l'affiche de la soirée d'Halloween il y a un prix de sept cent cinquante dollars pour le meilleur costume j'espère que tu pourras venir bonne fin de semaine !

Sophie-Élise gambada jusqu'au bout du couloir, et Zeckie examina le papier.

Une citrouille hilare annonçait la fête avec éclat. L'Halloween était une coutume terrienne qu'elle n'avait pas encore étudiée…

Elle sortit et cilla sous le soleil éblouissant. Avec ce ciel azur et l'odeur d'humus caractéristique de l'automne, elle se serait presque crue sur Gaïa. Pourtant, elle n'avait qu'à regarder le béton et les voitures pour revenir à la dure réalité. Du coin de l'œil, elle vit que deux étudiants discutaient devant l'école. Elle reconnut Nadia et Kazuo.

Observant son Syctid, elle pivota et se dirigea vers le terrain de jeux derrière l'école. L'endroit était désert, ce qui donnait l'occasion à Zeckie d'explorer les environs.

Puisque la brèche était en dehors de l'édifice principal, cela signifiait qu'elle devait se trouver dans une des constructions en périphérie.

Pendant qu'elle foulait l'herbe courte, son instinct l'orienta vers un petit bâtiment situé sous les gradins du terrain de soccer. En chemin, elle mit le pied sur quelque chose de mou.

Il s'agissait d'un champignon, un *marasmius oreades*, et, en se penchant, elle remarqua qu'il y en avait partout sur le gazon. Ces talles d'organismes fongiques lui indiquaient qu'elle cherchait au bon endroit. Puisqu'une porte interdimensionnelle était ouverte entre la Terre et Fungiia, il était probable que des spores se soient échappées du monde des Mycoloïdes pour venir croître ici.

Elle consultait son Syctid quand une voix s'écria derrière elle :

— Zeckie !

Elle soupira, exaspérée. Elle avait une mission cruciale sur les bras et n'avait pas de temps à perdre ! Pourtant, elle afficha un air ravi devant Béatrice qui marchait vers elle.

— Bonjour ! Tu n'es pas rentrée chez toi ?

— Je prends un raccourci, expliqua Béatrice. Comme tu demeures près de chez moi, je pourrais te montrer le chemin.

Zeckie jeta un coup d'œil en direction de la remise où elle comptait diriger son enquête. Elle reviendrait plus tard, lorsqu'elle serait certaine d'être seule. Par ailleurs, connaître un chemin rapide pour la mener à la maison s'avérerait pratique.

Les deux jeunes filles s'engagèrent sur un sentier boisé. Zeckie répondait par monosyllabes à la multitude de questions que lui posait Béatrice : moins elle en disait, moins elle risquait de se faire piéger. De toute façon, Zeckie ne devait pas trop se livrer à ces humains primitifs. Si ce n'avait pas été des rapports qu'elle devait pondre régulièrement, elle aurait limité les relations au minimum pour terminer sa mission au plus vite. Malgré tout, elle ne pouvait s'empêcher de sympathiser avec Béatrice qui semblait une source intarissable de connaissances terrestres.

Zeckie ramassa une feuille d'érable au bord du chemin et la caressa, fascinée. Dans la dimension de la jeune fille, la sage Gaïa implorait de respecter ses créations pour éviter d'altérer le cours de la vie. Ainsi, Zeckie n'avait eu que de rares contacts avec la nature, tant elle était sévèrement protégée.

Avec un demi-sourire, Béatrice observa la nouvelle élève examiner la feuille d'automne rouge.

Elles marchaient dans la rue où elles habitaient quand Kazuo, à vélo, freina à leur hauteur.

— Salut ! lança-t-il.

Surprises, elles se tournèrent vers lui. Zeckie lui adressa un timide signe de la main, et Béatrice croisa les bras.

— Salut. Que nous vaut l'honneur ? railla-t-elle.

Kazuo rougit sous son hâle naturel, décontenancé par cette réponse.

— Entre voisins, on ne peut pas se parler ?

Béatrice se contenta de lui décocher un regard sceptique. Mal à l'aise, Kazuo se racla la gorge.

— Ils projettent *Le retour des morts vivants** à l'auditorium, ce soir. Ça vous tente d'y aller ?

Bouche bée, Béatrice ne sut que répondre. Sans crier gare, le garçon le plus populaire de l'école l'invitait à voir un film… Il devait y avoir anguille sous roche !

Elle se tourna vers sa compagne et comprit. Bien que marginale et mystérieuse, Zeckie était très belle. C'était la nouvelle qui intéressait Kazuo…

— Désolée, mais je compte poursuivre mon projet pour l'exposition scientifique, prétendit-elle pour éviter d'être la cinquième roue du carrosse. Peut-être que Zeckie…

---

* Film d'horreur plutôt satirique porté à l'écran par Dan O'Bannon en 1985.

La jeune Gaïenne parut confuse.

— Euh... J'étudie ! Je dois rattraper le temps perdu et reprendre la matière vue en début d'année !

Kazuo serra la mâchoire, se traitant d'idiot. Quelle idée stupide il avait eue !

— Une autre fois, alors ! Salut ! glapit-il avant de s'enfuir sur sa bicyclette.

Béatrice pivota vers Zeckie.

— Bravo ! Tu as balayé l'étoile de l'équipe de soccer du plat de la main comme une vieille chaussette !

— Je te ferai remarquer que tu as également refusé son invitation.

— Ce n'est pas moi qu'il voulait voir, c'est toi ! Depuis notre entrée au secondaire, Kazuo ne m'a jamais adressé la parole, et nous sommes voisins ! Dis-moi, es-tu à ce point insensible à son charme ?

— Son charme ? répéta Zeckie.

Avec un gloussement, Béatrice prit le bras de Zeckie et l'entraîna avec elle.

— Viens, je vais te présenter ma famille !

Un Terrien aurait qualifié la demeure des Paradis de chaleureuse et accueillante. Zeckie, elle, fut impressionnée par ce bazar. Les murs de couleurs voyantes disparaissaient sous des affiches, le tapis à motifs du salon était couvert de jouets d'enfants et les meubles semblaient aussi disparates que dans une brocante.

Un chat jaune frôla le mollet de Zeckie qui laissa échapper un petit cri.

— Un animal dans une maison ? s'étonna la jeune Gaïenne.

— Ça, c'est Isaac, notre mascotte ! Tu n'es pas allergique ?

— Euh… non, répondit Zeckie, peu convaincue.

Dans la cuisine, un homme d'une quarantaine d'années à l'air gamin brassait le contenu d'un chaudron tandis qu'un bébé s'accrochait à sa jambe.

— Salut, papa ! Voici Zeckie. Elle est nouvelle à l'école !

Julien essuya ses mains sur son tablier et gratifia la jeune Gaïenne d'un large sourire.

— Bonjour, les filles ! Regardez sur la table ce que j'ai trouvé dans le bois près de votre école !

Béatrice grimaça en scrutant l'étalage de champignons rares.

— Beurk ! J'espère qu'on ne va pas manger ça !

— Béa, il y a des restaurants qui vendent ça un prix fou ! Ces champignons ont un goût d'une délicatesse… lui assura Julien en embrassant le bout de ses doigts.

La jeune fille leva les yeux au ciel.

— Excuse mon père, Zeckie. C'est un mycologue amateur qui s'excite à chaque trouvaille.

De son côté, Zeckie examinait avec beaucoup d'intérêt les différentes espèces. Elle souleva un champignon écarlate et rabougri.

— Ça, c'est la dermatose des russules, un champignon qui parasite un autre champignon ! s'enthousiasma Julien. Tu vois ces minuscules points rouges ? C'est une maladie qui affecte le développement normal…

— Ah, papa ! Épargne-nous les détails ! Allez, Zeckie, je vais te montrer ma chambre !

Avant de sortir de la pièce, Zeckie demanda :

— Puis-je garder ce spécimen ?

— Bien sûr, Zeckie ! Enfin quelqu'un qui s'intéresse à ces trésors de la nature !

Exaspérée, Béatrice tira Zeckie par la manche.

À l'étage, la chambre de l'adolescente était à l'image du reste de la maison ; le lit défait, les livres pêle-mêle et le bureau jonché de pièces électroniques complétaient ce joyeux désordre. Sur un babillard, des photographies d'hommes âgés intriguèrent Zeckie.

— Tes goûts en matière de messieurs sont plutôt surprenants…

Béatrice rigola :

— Mais non ! Ce sont des gens que j'admire ! Il y a Albert Einstein, Hubert Reeves et aussi Stephen Hawking qui a émis des hypothèses sur les trous noirs. Là, c'est l'affiche de notre club du Cercle d'Asimov… d'après Isaac Asimov qui a inventé les trois lois auxquelles devraient obéir les robots.

Béatrice désigna son bureau.

— Je travaille à ce robot depuis des semaines ! C'est un petit modèle qui se faufile partout, comme par exemple dans les décombres après un feu ou un tremblement de terre, pour retrouver des survivants. Je dois le terminer pour l'exposition scientifique régionale, car je veux gagner le premier prix !

— Qu'est-ce que c'est ? s'enquit Zeckie.

— Mille dollars qui me permettront de m'inscrire dans un camp réservé aux jeunes constructeurs de robots aux États-Unis.

Zeckie hocha la tête, non sans ironie. Si cette pauvre Béatrice se doutait de la technologie qui avait été développée dans d'autres dimensions, ses efforts lui sembleraient bien dérisoires…

La jeune Gaïenne profita de sa visite pour se renseigner sur différentes coutumes des Terriens, dont le rituel de l'Halloween.

— C'est une vieille tradition... Il y a longtemps, les gens se déguisaient pour effrayer les esprits la veille du jour des morts. Aujourd'hui, les enfants font du porte-à-porte, et on leur donne des bonbons.

Béatrice lui montra un accoutrement de tissu extensible rouge avec une longue queue pointue.

— Moi, je vais m'habiller en diablesse pour la danse. Tu as une idée de costume ?

— Je ne sais pas, répondit Zeckie d'un ton sec où pointait l'impatience.

Elle décida à cet instant de prendre congé. Elle avait assez parlé.

Béatrice la reconduisit et la salua d'un signe de la main.

— Ton amie est déjà partie ? demanda Julien derrière sa fille. Elle aurait pu se joindre à nous et se délecter du festin que je prépare !

— Je serais surprise que tes plats exotiques la mettent en appétit, railla Béatrice. Sans blague, papa, elle est très bizarre, cette fille. Elle est inexpressive, comme si elle ne ressentait aucune émotion. Ou peut-être qu'elle ne veut rien laisser paraître...

Rapport 2.0
Identification : 2259-826-1935-0-432
Niveau : Zan
Dimension : Terre

État de l'enquête : Brèche possiblement située sur terrain de jeux de l'école. Nombreux spécimens fongiques repérés à proximité. Avancement de l'investigation satisfaisant, néanmoins ralenti pour cause de discrétion.

Observations : Terriens incohérents. Mode de vie routinier, mais désordonné. Mangent certains animaux et permettent à d'autres de vivre parmi eux.

Étrange hiérarchie entre les élèves de l'établissement scolaire ; dans plusieurs cas, le quotient intellectuel est inversement proportionnel au niveau de popularité. À part individu nommé Kazuo Miyabe.

Avis aux agents gaïens : Enquêter sur individus Albert Einstein, Hubert Reeves et Stephen Hawking. Connaissances particulières du fonctionnement de l'univers physique. Potentiels agents doubles ou espions interdimensionnels ?

7

Le samedi matin, après avoir passé une partie de la nuit à travailler à son robot, Béatrice décida de se changer les idées et d'aller voir Zeckie afin de percer le mystère qui l'entourait. L'adolescente s'imagina Jimmy en train de se moquer d'elle parce qu'elle essayait de sauver une autre âme en peine. D'un geste de la main, elle balaya ce petit diable imaginaire et lui répliqua qu'elle voulait seulement comprendre ce qui était à la source du tempérament impassible de la nouvelle élève.

Elle comprit en partie lorsque la porte de la maison au bout du cul-de-sac s'ouvrit. Une immense silhouette apparut.

— Qu'est-ce que vous voulez ? tonna une voix grave.

— Est-ce que Zeckie est là ? s'enquit Béatrice sans pouvoir empêcher sa lèvre inférieure de trembler.

— Oui.

Comme le grand homme à l'air sinistre continuait de bloquer l'entrée, Béatrice tendit la main.

— Vous devez être monsieur Zan, la ressemblance est frappante. Je suis Béatrice, une amie d'école de Zeckie, expliqua-t-elle avec un charmant sourire pour le désarmer.

Incertaine, Zeckie prit place à côté du Saonu. Décidément, les Terriens étaient persévérants !

— Salut ! Je me demandais ce que tu faisais aujourd'hui. Je t'offre une visite guidée des alentours, proposa Béatrice.

— Je... J'allais me procurer quelques biens afin de compléter mon uniforme, hésita Zeckie.

— Tu veux aller magasiner ?

Zeckie leva les yeux vers le Saonu.

— Une minute, je consulte papa.

Le battant se referma un moment. « Drôle de famille ! » pensa Béatrice.

Zeckie réapparut, une boule de billets chiffonnés dans les mains.

— J'ai réclamé un peu d'argent. J'espère que ce sera assez, dit-elle en la montrant à Béatrice.

— Super ! Il doit y avoir deux cents dollars là-dedans !

Elle ricana, espiègle.

— Viens ! Il y a moyen de s'amuser un peu avec ça !

***

Quelques minutes après le départ de Zeckie, la sonnette retentit de nouveau. En plein entraînement de sabre, le Saonu émit un juron gaïen et se rendit à pas lourds dans le hall. Avec un grognement, il ouvrit à la volée et fut confronté à un regard de velours.

Bouche bée et la tête renversée, la femme reprit son souffle, puis sourit timidement.

— Bonjour ! Je m'appelle Marie Jolicœur ! Je suis la professeure de français de Zeckie…

Nerveuse, elle déposa un énorme panier de denrées orné de rubans de couleur dans les mains du Saonu.

— Je suis membre du comité parents-professeurs, et ceci est un petit quelque chose pour vous souhaiter la bienvenue dans notre quartier ! J'ai préparé les brownies moi-même et…

Les bras pleins, le Saonu se contenta de grommeler un remerciement et claqua la porte, laissant Marie Jolicœur éberluée.

***

Plus tard, les deux jeunes filles revinrent de leur tournée en ville, et Béatrice aida Zeckie à porter ses achats jusqu'à sa chambre. L'adolescente fut étonnée par l'aspect épuré et immaculé de celle-ci. Le lit couvert d'un édredon gris était parfaitement fait, les murs étaient vierges et peints en blanc, le parquet brillait comme s'il était frais lavé.

— J'imagine que tu n'as pas encore eu le temps de t'installer, commenta Béatrice.

Zeckie sourcilla sans comprendre.

— Je pourrais peut-être te prêter des affiches si tu veux mettre un peu de vie ici. Pour l'instant, je dois retourner chez moi. À demain ! salua Béatrice.

Zeckie sortit un chandail fuchsia et un pantalon vert lime d'un des sacs ; elle n'avait jamais porté autant de couleurs !

Pourtant, elle s'était amusée lors de cette journée à visiter les commerces de la ville. Elle en avait presque oublié sa mission…

On cogna à la porte, et Zeckie se mit au garde-à-vous au milieu d'un fouillis de linge et de sacs éventrés.

— Quel est votre compte rendu de cette journée, ma fille ? la questionna le Saonu en promenant un œil indigné autour de la pièce.

— J'ai renouvelé mon uniforme et je me suis procuré divers objets requis pour ma fréquentation scolaire, papa. De plus, les lectures effectuées aujourd'hui se sont révélées négatives. Les Mycoloïdes ne semblent pas beaucoup fréquenter le centre commercial.

— Combien de vos billets avez-vous dépensés ? s'informa le mentor en tendant la main.

Zeckie fouilla dans les poches de son jean et remit un dollar et douze cents. Le Saonu en fut interloqué.

— C'est tout ? Vous avez dépensé plus de cent quatre-vingt-dix-huit dollars pour des biens non essentiels ?

— Eh bien, c'est-à-dire que… que ces biens sont essentiels au déroulement de ma mission ! Ils contribuent à garder mon anonymat…

Le Saonu croisa les bras, sceptique.

— Il va falloir réduire vos besoins, car les billets que les agents éclaireurs nous ont donnés sont en nombre limité ! Maintenant dressez-moi une liste détaillée de ces articles et justifiez leur utilisation !

Avant qu'il reparte, Zeckie lui signala :

— Euh… Encore une chose, Saonu.

— Papa, je vous répète de m'appeler papa !

— C'est précisément à ce propos...

Zeckie se gratta la nuque, embarrassée.

— Pour le bien de ma mission, vous devriez être un peu plus… gentil.

— Pardon ? aboya le Saonu.

— Béatrice m'a mentionné que vous sembliez très sévère pour un père. J'ai effectivement noté que la majorité des parents étaient plus… conciliants avec leurs enfants. Et notre rôle est d'agir comme une vraie famille, n'est-ce pas ?

Pour toute réponse, le Saonu referma la porte en grommelant. Zeckie soupira : ça s'était mieux passé qu'elle l'appréhendait. Et il était plutôt cocasse que ce soit elle qui fasse des recommandations au mentor…

Après avoir dressé un inventaire exhaustif de ses dépenses, Zeckie descendit au rez-de-chaussée pour le présenter au Saonu. En retour, celui-ci lui tendit un gobelet avec trois cachets de couleur verte. Zeckie fixa son repas avec une moue hésitante ; ce ne serait pas aussi savoureux que la lasagne végétarienne qu'elle avait dégustée à midi. Mais le Saonu insista, car les capsules avaient la fonction de purifier son système de la nourriture insalubre ingérée sur la Terre.

Elle avala les comprimés avec une grimace, puis remarqua un monticule de petits cubes bruns dans un panier, au milieu de la table.

— Qu'est-ce que c'est ?

— Votre professeure de français, une certaine Marie Jolicœur, est venue porter ces aliments infects pendant votre absence. Elle les a nommés « brownies ».

— Vous les avez goûtés ?

— Par Gaïa, non ! D'après mes lectures, ces choses contiennent une dose illégale de sucre ! De quoi intoxiquer un individu, assura le Saonu en désignant son Syctid à lui.

Zeckie saisit un des gâteaux et le huma. Elle hésita un instant avant de mordre dedans. Elle mastiqua avec satisfaction et se servit deux autres brownies.

— Pour la science, je vais me sacrifier ! Bonne nuit, papa ! s'exclama-t-elle en quittant la pièce devant l'air hébété du Saonu.

Rapport 3.0
Identification: 2259-826-1935-0-432
Niveau: Zan
Dimension: Terre

État de l'enquête: Fixe. Aucune découverte. Mycoloïdes ne fréquentent pas les lieux de distribution de biens ni les commerces en général.

Observations: Les jeunes Terriens accordent beaucoup d'importance à leur tenue vestimentaire pour des fins d'identification. La forme, la couleur ou certains sigles peuvent témoigner de l'appartenance à un des différents groupes présents dans l'établissement scolaire.

L'uniforme périmé remis par les autorités gaïennes a certainement nui à ma facilité d'intégration au sein du corps étudiant.

Avis aux agents gaïens: Lors d'une infiltration, éviter certaines teintes pour cause de discrétion. Il semble que le brun pâle et le rose fluorescent ne sont dans la palette de couleurs de personne.

8

Le lundi matin, Zeckie se sentait prête à affronter l'offensive mycoloïde. Elle avait passé la journée du dimanche à isoler l'organisme parasite — le *Hypomyces lactifluorum* — qui causait la dermatose chez le champignon que lui avait donné le père de Béatrice.

Ces microscopiques pustules rouge orangé seraient bien utiles à Zeckie : elle en avait créé une poudre qui marquait les organismes fongiques et n'avait aucun effet sur les humains. Elle contempla avec fierté la fiole écarlate avant de la mettre dans son sac à dos ; cette formule, elle l'espérait, révolutionnerait la chasse aux Mycoloïdes et lui vaudrait d'accéder avec tous les honneurs au niveau Kao.

Lors de sa visite au centre commercial, elle s'était aussi dotée d'un tube de plastique destiné à transporter les dessins effectués dans le cours d'arts plastiques ; elle en ferait bon usage en y cachant son sabre.

Avec une nouvelle assurance, elle dévala l'escalier et marcha d'un pas ferme pour aller se présenter au Saonu. Sur le seuil de la cuisine, elle se tint droite et joignit les mains en s'inclinant. À ce moment, elle vit qu'il ne restait rien dans le panier offert par Mme Jolicœur, que des miettes sur la table d'ordinaire immaculée. Elle chercha des yeux le coupable et le trouva assis devant le Neuropode, en train d'écrire le rapport de leurs activités terriennes pour Gaïa.

— Papa ! Je comptais apporter ces gâteaux pour le lunch ! s'indigna-t-elle.

Le Saonu se tourna vers elle et, sans broncher, répliqua :

— Quelqu'un devait s'assurer que ces choses ne nuiraient pas à votre organisme.

Interloquée, Zeckie aurait pu jurer que la moustache du Saonu dissimulait un sourire.

Le carillon de la porte résonna, et le mentor de la jeune Gaïenne se leva pour répondre.

— Bonjour, Béatrice ! Vous allez bien ? Magnifique journée, n'est-ce pas ? claironna le Saonu.

Zeckie lui jeta un regard en biais avant d'agripper le bras de Béatrice et de l'entraîner sur le chemin de l'école. Derrière elles, le Saonu les saluait d'un signe de la main. Il suivait peut-être ses recommandations, mais il ne fallait pas être trop gentil non plus !

— Je retire ce que j'ai dit sur ton père… Il a l'air très sympathique aujourd'hui ! avoua Béatrice, stupéfaite.

— Il était sans doute en manque de sucre l'autre jour, grogna Zeckie, regrettant les brownies enfournés par son supposé père.

La matinée commença par le cours de français où Zeckie dut remettre sa nouvelle littéraire. Pendant que les élèves retravaillaient leurs textes, Marie lut avec une expression de désarroi l'histoire composée par la jeune Gaïenne.

Durant ce temps, Zeckie en profita pour refaire des lectures à l'aide de son Syctid. Il y avait bel et bien deux Mycoloïdes dans cette pièce, et Zeckie était presque certaine de l'identité de l'un d'eux. Quand la professeure avait pris les présences, il avait répondu au nom de David Dubois. C'était l'élève qui avait attiré son attention lors du premier cours.

La mine incertaine, la professeure s'approcha du bureau de Zeckie et se pencha pour chuchoter à son adresse :

— Je crois que tu n'as pas compris l'exercice. Dans la nouvelle, il faut faire appel aux émotions du lecteur, le mettre en situation. Or, ton récit est très technique, presque télégraphique. On dirait un rapport d'opérations ! Utilise des adjectifs et ajoute des descriptions…

— J'ai pourtant suivi vos instructions à la lettre. Je tenterai de m'améliorer.

— Zeckie, nous ne sommes pas dans une école militaire ! Prends un peu plus de liberté et laisse aller ton imagination, conseilla Marie en retournant à son bureau.

— Pas besoin. Tu as juste à décrire les habitants de ta planète, se moqua Nadia.

Zeckie s'inquiéta de ce commentaire: était-ce si flagrant qu'elle venait d'une autre dimension ?

La jeune Gaïenne remarqua quelques regards braqués sur elle. Encore ce Kazuo qui essayait de la percer à jour, mais aussi David Dubois, qui la fixait à la dérobée. Mine de rien, Zeckie se concentra sur les recommandations écrites en rouge dans les marges de sa copie.

Intriguée par ce que griffonnait Jimmy à grands coups de crayon derrière elle, elle se décida à lui demander:

— Tu sembles avoir de la facilité avec cet exercice… Voudrais-tu m'expliquer ce qu'est un « élément déclencheur » ?

La mine arrêta sa course au milieu du papier, et le jeune homme leva ses yeux sombres vers elle. Du pouce, il désigna l'enseignante.

— Si la Jolicœur se transformait subitement en pieuvre géante et engloutissait la moitié de la classe avec une langue visqueuse, tu l'aurais, ton « élément déclencheur ».

Mme Jolicœur en Mycoloïde ? Même si, en réalité, c'était improbable, l'idée amusa Zeckie.

— Ah ! Je crois comprendre ! Merci ! s'enthousiasma la jeune Gaïenne en retournant à son travail.

Un sourire surpris se peignit sur le visage de Jimmy. Nadia grinça des dents et fusilla Zeckie des yeux.

Lorsque la cloche sonna, le regard de Zeckie accrocha celui de David Dubois. Il ne perdait rien pour attendre, songea-t-elle, car aujourd'hui elle était prête à le démasquer. Il ne s'agissait que d'attendre le moment opportun.

Avant de sortir, elle déposa sa composition sur le bureau de la professeure.

— Tu as trouvé l'inspiration, Zeckie ?

— Oui, et je voulais vous remercier pour les brownies que vous nous avez apportés. J'en ai savouré quelques-uns, même si c'est mon papa qui en a englouti la majeure partie, avoua Zeckie avec une moue.

Marie sembla ravie de ce compliment et ses joues rosirent. La jeune Gaïenne retrouva Béatrice dans le couloir.

— Mme Jolicœur vous a offert ses fameux brownies ?

Zeckie hocha la tête.

— Hum ! lâcha Béatrice avec un air énigmatique.

— Qu'y a-t-il ?

— Eh bien, Marie Jolicœur est célibataire et ton père est veuf, si tu vois ce que je veux dire…

Zeckie sourit. Sur Gaïa, les agents étaient liés à leur cause et n'accordaient aucune importance aux sentiments. Ils ne se mariaient pas, ne se fréquentaient pas et ne procréaient surtout pas ! Rien ni personne ne les détournait de leurs missions.

De plus, le Saonu 618 semblait dénué de toute émotion. Il n'avait certainement pas remarqué les beaux yeux de Mme Jolicœur… Ces Terriens étaient si pathétiques et naïfs !

À l'heure du lunch, Zeckie glissa la fiole de poudre qu'elle avait préparée dans la poche de son veston. Elle garda aussi sur son épaule le tube où elle cachait son sabre. Béatrice l'accompagna jusqu'à l'entrée de la cantine, rouspétant à l'idée d'avoir à se taper une des découvertes culinaires de son père, un plat thaïlandais parfumé à une espèce de champignon arboricole. Mais Zeckie ne l'écoutait pas, trop occupée à repérer David Dubois dans la foule.

Elle se dépêcha et se mit en ligne derrière lui. Il lui jeta un regard hésitant par-dessus son épaule et semblait mal à l'aise de se trouver à proximité d'elle. La soupçonnait-il ? Zeckie feignit d'être concentrée sur autre chose.

David Dubois prit un jus, une bouteille d'eau et commanda une soupe ; seulement des aliments hydratants, car les Mycoloïdes avaient un très grand besoin d'eau.

Lorsqu'il étira le bras pour attraper une pomme dans un panier de fruits, Zeckie déversa une petite quantité de poudre rouge dans son potage. Heureusement, le poison se mêla vite au bouillon de légumes et, après avoir payé, David se joignit à un groupe pour manger.

En observant les compagnons de repas de David, Zeckie nota qu'ils se ressemblaient tous un peu. Fades, sans trait particulier ni marque d'originalité, ces personnages dégustaient eux aussi des aliments aqueux. Ainsi, la jeune Gaïenne songea que les Mycoloïdes présents dans l'école devaient rester entre eux.

Elle se plaça à côté de Béatrice sans participer à la conversation qui animait les occupants de sa table et épia David du coin de l'œil. Son regard rencontra celui de Kazuo à l'autre bout de la salle et, avec un soupir irrité, elle baissa le nez sur son assiette. Qu'est-ce qu'il lui voulait, celui-là ? Qu'avait-il à la dévisager sans cesse ?

Un cri étouffé la fit se dresser. David Dubois bondit, les mains sur le visage, et gémit comme si on lui avait jeté une marmite d'eau bouillante sur le corps. Paniqués, ses copains tentèrent de l'apaiser, mais le garçon les repoussa d'un geste brusque, se tordant de douleur. Un surveillant lui vint en aide et l'entraîna hors de la cantine sous l'expression ahurie des élèves.

Zeckie se frottait les mains de satisfaction. Sa formule fonctionnait !

À côté d'elle, Béatrice commenta :

— Pauvre David ! Je me demande ce qu'il a… Une allergie alimentaire peut-être ?

Zeckie s'excusa auprès d'elle, prétextant un rendez-vous avec le directeur. Une fois dans le couloir, elle se dirigea vers l'infirmerie. Le surveillant qui avait escorté David, un gros homme bourru, l'interpella.

— Hé ! jeune fille ! Allez trouver l'infirmière pendant que je garde un œil sur David.

— Je… je suis nouvelle ici. Je ne connais pas beaucoup l'école. Par contre, si vous voulez, je veillerai sur lui pendant que vous avertissez l'infirmière.

Le surveillant hésita une seconde et regarda le malade.

— Il s'est calmé et il respire bien… Si tu peux me rendre ce service, ce ne sera pas long !

Zeckie pénétra dans la pièce sombre, tandis que le surveillant partait au pas de course.

« Parfait ! » pensa la jeune Gaïenne. Si elle agissait vite, cela lui laisserait assez de temps pour exécuter son travail.

Une silhouette était allongée, calme et immobile, sur le lit ; la crise de David semblait passée.

Zeckie verrouilla la porte derrière elle et

ouvrit la lumière. David bougea et écarquilla les yeux lorsqu'il la reconnut. La peau de son visage était rouge et couverte de petites pustules.

Le regard froid et la bouche pincée, la jeune Gaïenne tira son sabre de sa gaine de fortune. Elle perçut un tremblement sur la lèvre inférieure de son adversaire qui sauta de sa couchette.

— Je sais ce que tu es, siffla Zeckie.

La lame étincela dans la lumière, et David poussa un glapissement aigu. L'arme frôla la manche de son chandail et découvrit un bras ravagé par l'éruption cutanée.

Effrayé, il sauta sur le bureau de l'infirmière, évitant de justesse le sabre que balançait Zeckie pour lui faucher les jambes. Avec une agilité surprenante, il s'élança ensuite sur une armoire. Ce jeu du chat et de la souris irrita la jeune Gaïenne et, avec un grognement, elle lui saisit le mollet pour le forcer à redescendre. Il culbuta en arrière et, en vol, se retint aux rideaux qui séparaient les deux brancards de l'infirmerie. La tringle céda, et David roula sur le sol. Zeckie se jeta sur lui, la pointe de la lame posée sur sa gorge.

— Tu… tu es folle ! bredouilla le garçon.

Elle l'empoigna par le collet et le secoua.

— Dis-moi où se trouve la brèche et je te laisserai repartir dans ta dimension.

— Je ne sais pas de quoi tu parles, articula David avec peine.

— Ne joue pas à l'innocent. Cette formule urticante ne fonctionne que sur les Mycoloïdes, et non sur les humains. Parle !

Un déclic derrière eux indiqua que quelqu'un tentait d'entrer dans la pièce. Zeckie eut tout juste le temps de remettre son sabre dans son tube et de relâcher son emprise sur David avant que l'infirmière déverrouille la porte. Devant le désordre, cette dernière demeura bouche bée : son bureau portait des empreintes de baskets, les papiers étaient froissés et les crayons, éparpillés. Il y avait aussi les deux élèves sur le sol, enroulés dans le rideau séparateur.

— Aidez-moi, elle m'attaque ! cria David.

— Que se passe-t-il ? demanda l'infirmière, alarmée.

— Je crois qu'il délire ! expliqua Zeckie en se redressant.

L'infirmière se pencha sur David pour l'examiner, et Zeckie en profita pour déguerpir.

Quel fiasco ! Cinq secondes de plus et il crachait le morceau, elle en était convaincue ! À présent que David savait qu'elle était à ses trousses, il pourrait avertir ses compères. Qu'allaient-ils infliger à la jeune Gaïenne ?

« Bravo pour la discrétion ! » se reprocha-t-elle. Elle avait failli se faire prendre ; elle ne se méfiait pas assez des Terriens.

Maintenant, Zeckie ne perdrait plus de temps !

Elle sortit de l'école et se dirigea vers le terrain de jeux. Malgré le temps incertain, des entraînements sportifs avaient lieu, ce qui rendait la tâche de Zeckie plus délicate. Elle feignit d'observer les parties de soccer avant de poursuivre ses recherches.

Elle se faufila près du bâtiment de service, sous les gradins. Celui-ci comptait trois portes, dont une cadenassée. Puisqu'elle ne pouvait sortir son sabre en plein jour pour couper le verrou, elle décida d'explorer une des autres pièces.

La première menait à un local où on gardait l'équipement sportif. La poussière en suspension rendait l'endroit sombre, et Zeckie dut s'avancer pour explorer. Les étagères où s'entassaient ballons, filets et bâtons de base-ball l'empêchaient d'avoir une vue d'ensemble sur la pièce. À petits pas furtifs, elle fouilla ce bric-à-brac, prête à dégainer son arme.

Elle perçut un son étrange. C'était un bruit de succion. «Ça y est! J'ai trouvé!» pensa Zeckie.

D'une pirouette, elle sauta par-dessus une caisse de balles de tennis et atterrit dans une position offensive. Ce qu'elle vit peignit la stupéfaction sur son visage d'ordinaire impassible.

— Oh! s'exclama-t-elle.

Un couple enlacé sursauta. Zeckie reconnut Kazuo et Nadia.

— Qu'est-ce que tu fais ici? rugit Nadia.

— Je... Je suis désolée! bredouilla-t-elle en rougissant jusqu'à la racine des cheveux.

Confuse, Zeckie pivota et s'enfuit à toutes jambes, la main sur la bouche. Quel embarras! Deux échecs dans la même journée!

Penaud, Kazuo se ressaisit et, quand Nadia essaya de l'étreindre, il la repoussa.

— Je retourne sur le terrain, lâcha-t-il.

— Attends... Reviens!

La seule réponse que la jeune fille obtint fut le claquement de la porte. Contrariée, Nadia envoya voler un ballon d'un coup de pied et sortit à son tour. Dans sa furie, elle ne remarqua pas, sur le mur du fond, une longue lézarde ponctuée de petites protubérances fluorescentes.

***

Dans l'après-midi, la tension était palpable dans le cours de mathématiques. David Dubois avait été renvoyé chez lui. Cet incident rendait les étudiants agités et nuisait à leur concentration.

Devant ce groupe d'adolescents fébriles, Mme Lépine décida de garder leur attention en les envoyant à tour de rôle au tableau pour résoudre des exercices d'algèbre. Lorsque Zeckie prit la craie et traça d'une main ferme les chiffres et les inconnues de son équation, Béatrice remarqua que plusieurs étudiants dardaient des yeux furieux sur la nouvelle élève. En plus de Nadia, la bande de David Dubois semblait avoir une dent contre elle.

— Vous vous trouvez drôle, mademoiselle Zan ? la réprimanda la professeure.

Zeckie fronça les sourcils sans comprendre et s'éloigna du tableau. Des symboles et des formes farfelues terminaient sa formule.

Catastrophée, Zeckie réalisa qu'elle avait résolu le problème en gaïen tant elle était préoccupée par les ratés de la journée.

— Peut-être que ces hiéroglyphes cachent la vraie réponse, mais en attendant que je puisse lire l'extraterrestre, retournez à votre place !

« Décidément, je fais tout pour qu'on me remarque, aujourd'hui ! » se reprocha Zeckie. En s'assoyant, elle entendit un petit rire qui attira son attention. Le pouce vers le haut, Jimmy lui signifia qu'il approuvait.

— Qu'est-ce qui vous amuse tant, monsieur Desjardins ? Dois-je vous rappeler que vous ne m'avez pas remis votre devoir en entrant ? lui signala Mme Lépine.

— Ma tarentule l'a mangé, railla le jeune homme avec insolence.

Cette réponse provoqua l'hilarité dans la classe.

— Vous irez expliquer votre raison au directeur ! Mademoiselle Zan, suivez-le !

La tête basse, la jeune Gaïenne emboîta le pas à Jimmy sur le chemin du bureau de Raoul Samson. Remarquant l'air mortifié de Zeckie, l'adolescent l'encouragea.

— Rassure-toi, la bonne femme Lépine a toujours quelqu'un à envoyer chez le directeur.

La seule qui ne l'a pas visité, c'est Béatrice. Moi, je détiens le record !

« C'est la pire journée de mon existence ! » pensa Zeckie.

Malgré sa personnalité profondément sympathique, le directeur se révéla aussi intraitable que la Saïna. Après avoir reçu sa sentence — recopier deux cents lignes pour avoir dérangé la classe —, Zeckie retourna à son casier où Béatrice la rejoignit.

— Ouf ! Mme Lépine était de mauvais poil !

— Le rebelle m'en a informée, ronchonna Zeckie en prenant son précieux tube.

— Je crois que Jimmy a un conflit de personnalité avec elle, dit Béatrice en souriant et en cherchant le loup des yeux.

Elle repéra sa silhouette dégingandée et le vit qui discutait avec un étudiant de cinquième secondaire. Jimmy prit un sac de papier brun dans son casier, et l'autre garçon lui glissa des billets dans la main avant de repartir avec son paquet.

Les joues rouges de colère, Béatrice soupira. Son ami descendait de plus en plus bas... Le voilà qui vendait de la drogue maintenant ! En apercevant l'air accusateur de Béatrice, Jimmy haussa les épaules, agacé.

Sur le chemin du retour, Béatrice et Zeckie parlèrent peu, ruminant les incidents étranges de l'après-midi. Dans le boisé, la brise d'automne faisait frémir les feuilles qui cédaient parfois pour voguer sur son souffle tiède.

Perdue dans sa méditation sur la nature terrestre, Zeckie ne s'aperçut pas immédiatement que son Syctid vibrait. Elle le consulta comme s'il s'agissait d'une montre. D'après sa lecture, une forte présence mycoloïde se trouvait autour d'elle. Pourtant, elle ne distinguait rien, à part les bruissements et les craquements habituels de la forêt.

Le Syctid continuait de palpiter, et Zeckie tournait la tête en tous sens, sans comprendre la raison de cet avertissement.

Puis, près du sentier, l'écorce d'un chêne se couvrit de moisissures bleues. Zeckie cligna des yeux, et le phénomène disparut aussi vite qu'il était apparu pour se reproduire quelques mètres plus loin, sur les troncs d'un bouquet de bouleaux. Cette mystérieuse levure avait la capacité de se déplacer dans l'air et poussait sur différents types de plantes. Zeckie accéléra et bouscula son amie vers l'orée du bois.

— Qu'est-ce qu'il y a ? s'étonna Béatrice.

— Nous sommes suivies !

En voyant la panique inscrite sur le visage d'ordinaire stoïque de Zeckie, Béatrice se moqua :

— Tu ne serais pas un peu paranoïaque, par hasard ? C'est un chemin très sûr, je te le jure !

Zeckie resserra la pression sur le coude de son amie.

— Béatrice, promets-moi de ne plus passer par ici !

Interdite, celle-ci ne trouva rien à répondre. Zeckie avait-elle des hallucinations ?

***

Assise en tailleur sur son lit, Zeckie fixait l'affiche de Wonder Woman que Béatrice lui avait prêtée dans le but d'égayer sa chambre. « Elle est forte et mystérieuse. Elle me fait penser à toi ! » lui avait-elle dit. Pourtant, devant ses boucles noires, son corps musclé et son lasso qui ressemblait à un fouet, Zeckie avait plutôt l'impression qu'une image de la Saïna la surveillait.

Zeckie enleva ses bottines sans les délacer et rabattit les couvertures sur sa tête. Aujourd'hui, elle n'avait commis que des maladresses. Sa gaucherie lui coûterait le niveau Kao pour une autre année si elle continuait ainsi.

Le Saonu frappa à sa porte et, puisqu'elle ne répondait pas, il se permit d'entrer. Il promena un œil déconcerté sur les chaussures laissées au hasard, le sac et le manteau jetés sur la commode. Au mur, il y avait l'affiche criarde d'une femme voluptueuse, l'annonce d'une fête et la photographie de l'équipe de soccer locale découpée dans le journal.

Irrité par ce barda, le Saonu se racla bruyamment la gorge.

Zeckie souleva un coin du couvre-lit et s'extirpa de son cocon. Elle se mit au garde-à-vous.

— Quel est ce cirque ?

Zeckie lissa ses cheveux hirsutes.

— Je m'assure que cette pièce ressemble le plus possible aux chambres des autres adolescentes…

Le Saonu croisa les bras, dubitatif.

— Et vous ne rédigez pas votre rapport, ma fille ?

Cette fois, Zeckie ne défia pas son maître et baissa le nez.

— Eh bien ? insista-t-il.

— Cette journée n'a pas été fructueuse. Au contraire…

Zeckie raconta ses bévues, et le Saonu examina la fiole rouge qu'elle lui tendit.

— Cette poudre est une bonne invention afin de marquer les individus suspects… Mais n'avez-vous pas pensé qu'il serait plus prudent de refermer la brèche avant d'attaquer les Mycoloïdes et de les renvoyer dans leur dimension ?

— Je croyais que ce serait plus rapide ainsi. Les Mycoloïdes des simulations étaient faciles à piéger. Pourtant, celui que j'ai tenté d'attraper restait vif et agile, malgré la dermatose qui le rongeait. Je n'en ai jamais vu de pareil, avoua-t-elle.

Le Saonu réfléchit un instant en lissant sa moustache.

— Ma fille, en tant qu'agents sur la Terre, nous ne savons pas exactement à quoi nous sommes confrontés. C'est pourquoi il faut opérer avec précaution. Ceci n'est pas un vulgaire exercice, c'est une mission sérieuse ! Maintenant, venez absorber votre repas !

Zeckie grimaça en songeant aux trois capsules vertes qu'elle devait ingérer.

— Je n'ai pas faim.

Sur le pas de la porte, le Saonu haussa un sourcil.

— Vous devez puiser votre énergie quelque

part ! En passant, j'ai rencontré votre professeure, Marie Jolicœur, aujourd'hui, lors d'une promenade.

— L'avez-vous abordée ?

— Je lui ai demandé si elle avait d'autres brownies pour nous…

Rapport 4.0
Identification : 2259-826-1935-0-432
Niveau : Zan
Dimension : Terre

État de l'enquête : Développement d'une formule à partir d'un champignon parasite terrestre, *Hypomyces lactifluorum*. Résultat : provoque forte réaction épidermique chez Mycoloïdes.

Premier contact établi avec un Mycoloïde, mais interrogatoire avorté pour cause de discrétion. Individu fort et rapide, plus que spécimens connus des agents gaïens.

Lieu de la brèche toujours inconnu, mais découverte imminente.

Observations : Mycoloïdes semblent se tenir en groupe. Ils se sont forgé une place au milieu de la pyramide caractérisant la hiérarchie des étudiants. Cela fait partie de leur stratégie pour mieux passer inaperçus.

Malgré un effort considérable, il est très difficile de s'intégrer dans le milieu scolaire.

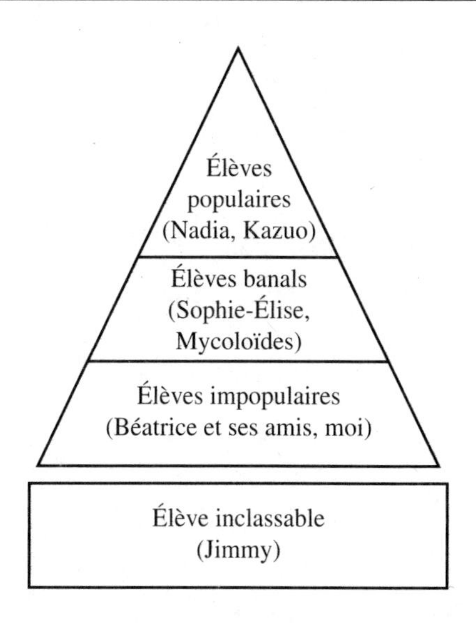

Avis aux agents gaïens: Phénomène inconnu détecté dans un boisé. Levure bleue capable de voyager dans l'air et sur les arbres. Reliée aux Mycoloïdes ? Élément non enregistré auparavant ? À vérifier…

9

La pluie s'était abattue toute la nuit sur la ville et, en matinée, une bruine saupoudrait le terrain de jeux de l'école, laissant de grosses perles d'eau sur les brins d'herbe. À l'écart de la foule, Béatrice observait le branle-bas de combat qui s'y tenait avec une pointe d'exaspération. Elle entendit une planche à roulettes approcher et détourna son attention du groupe qui se massait sous les gradins.

Jimmy s'arrêta à sa hauteur et ouvrit un parapluie au-dessus de sa tête. Gênée, elle tenta de mettre en place ses boucles rebelles avec ses doigts.

— Qu'est-ce qui se passe ? demanda-t-il.

— Hier, en marchant dans le coin, mon père a trouvé un champignon géant. C'est une vesse-de-loup de trois mètres de circonférence et de plus de trente kilos.

Jimmy poussa un sifflement.

— Je savais que cet endroit provoquait

des mutations ! Il y en avait une talle l'autre jour dans le gazon.

— Évidemment, il y a plein de journalistes pour voir ça, et même le président du Cercle des mycologues est là. Il paraît que ça bat le dernier record du livre Guinness !

— Et moi qui croyais être le premier de la ville à avoir mon nom inscrit dedans pour mon nombre phénoménal de retenues ! ricana Jimmy.

Il lui tendit le parapluie.

— À plus !

— Hé ! Pourquoi me donnes-tu ça ? s'écria Béatrice.

— Garde-le ! Il n'est pas à moi !

« À qui alors ? » songea Béatrice. Puis, au loin, elle remarqua son ami Arnaud qui arrivait en courant, penaud et trempé jusqu'aux os.

***

Les paroles du Saonu, la veille, avaient porté Zeckie à réfléchir : cette mission était de la première importance. L'équilibre des dimensions en dépendait. Et c'était elle que les autorités gaïennes avaient choisie !

Comme le dictait Gaïa, plus l'épreuve était difficile, plus elle en sortirait grandie.

Zeckie se demandait si, en revanche, Kao 158 sortirait grandie de son expérience sous les palmiers d'Azuréa…

En marchant vers l'école, la jeune fille évita le boisé et s'engagea sur le trottoir d'un pas traînant. Si elle avait ressenti un brin d'humanité dans le discours de son mentor, cela n'avait pas empêché le Saonu d'augmenter la difficulté de l'entraînement matinal. Il croyait que sa maladresse était due à une forme physique défaillante. Pourtant, en massant son épaule douloureuse, Zeckie doutait de l'efficacité de l'exercice draconien qu'il lui avait fait subir. Elle était exténuée, et il n'était pas huit heures !

Le premier cours de la journée était sans doute le plus pathétique de tous. Puisque les autres cours optionnels étaient complets, on lui avait offert ce qui restait : les arts plastiques ! C'est là que M. Sarrasin, un professeur excentrique aux boucles hirsutes, l'encouragea à s'exprimer sur un canevas blanc à l'aide de couleurs liquides. Zeckie ne comprenait rien à ses directives ; chez elle, on s'exprimait avec des mots, pas avec de la gouache ! Jimmy la nargua en disant que c'était le moment de sortir ses hiéroglyphes farfelus.

En éducation physique, elle devança ses collègues au jogging d'échauffement. Kazuo insista pour la choisir dans son équipe de volley-ball, et elle saisit vite les règles du jeu. Les joueurs adverses rouspétaient chaque fois qu'elle touchait le ballon et démontrait une adresse digne d'une joueuse expérimentée. À un moment, Nadia poussa une raillerie à son égard et Zeckie lui envoya le ballon sur la tête, feignant d'avoir raté son coup.

Lorsque la cloche de midi sonna, Zeckie ne vit pas Béatrice à sa table habituelle. Ses compagnons lui indiquèrent qu'elle se trouvait près du terrain de soccer.

La jeune Gaïenne arriva au moment où on prenait une photographie de l'immense vesse-de-loup, le directeur d'un côté et le père de Béatrice de l'autre, tous deux avec un sourire ravi. Divers médias s'ébattaient avec enthousiasme devant ce tableau, caméras, micros et reporters valsant d'une interview à l'autre.

Zeckie avait de la difficulté à comprendre pourquoi on s'emballait autant pour une masse de chair organique blanchâtre.

— Qu'est-ce que c'est ? demanda-t-elle à Béatrice.

— Mon père a découvert un des plus gros champignons jamais vus. On se croirait dans *L'étoile mystérieuse* de Tintin…

Ce phénomène était dû à la brèche ouverte sur Fungiia, Zeckie en était certaine. Les spores de la dimension des Mycoloïdes se répandaient comme une maladie chez eux, et ces idiots de Terriens s'en faisaient une gloire !

— Pourquoi fais-tu cette tête ?

— Pour rien… Au revoir, lâcha la jeune Gaïenne en pivotant sur ses talons.

À la fin des cours, Zeckie attendit que les élèves soient rentrés chez eux avant d'explorer de nouveau le bâtiment qui, selon elle, dissimulait la brèche. Il n'y avait pas de temps à perdre. Quelqu'un risquait de tomber sur cette aberration dimensionnelle, ce qui pourrait donner lieu à une catastrophe...

Zeckie constata qu'on avait emporté le champignon monstrueux. Elle enjamba une banderole orange vif sur laquelle était inscrit le mot « attention » et se retrouva face aux trois locaux de la remise du terrain de jeux.

Même si elle n'avait pas eu le temps de la fouiller à fond, elle savait que la pièce de gauche ne contenait que du matériel sportif. La porte de droite, elle, était verrouillée.

Zeckie s'assura que personne ne l'épiait et tendit les doigts vers le tube accroché à son épaule pour en tirer son sabre. Elle sectionna le cadenas, et le battant s'ouvrit en grinçant. Un nuage de poussière s'échappa de la pénombre, et Zeckie se couvrit le nez. Lorsque ses pupilles se furent habituées à la noirceur, les contours d'étagères vides se dessinèrent. Il n'y avait qu'une corde enroulée et un vieux filet sur le sol gris.

Zeckie soupira. Ce n'était pas le bon endroit.

Ses yeux distinguèrent par contre des centaines de petites pustules vertes sur le mur du fond.

— Bonjour.

Zeckie sursauta et cacha sa lame derrière son dos. Un garçon d'à peu près son âge se tenait là.

— Bonjour, salua-t-elle.

Une lueur menaçante brillait dans l'intrigant regard bleu du garçon. Zeckie se rappelait l'avoir remarqué la veille, à la table de David Dubois. Il était maintenant accompagné d'une dizaine de ses compagnons. Zeckie déglutit et serra le pommeau de son arme.

— Qu'est-ce que tu cherches ? demanda-t-il.

— Je...

Avant qu'elle puisse répondre, le garçon la poussa au fond du local. Zeckie se retrouva entourée d'une bande de Mycoloïdes déguisés en Terriens.

Zeckie avait été entraînée depuis la naissance à faire face à ce genre de situation, mais il était plus facile de réagir quand on savait que quelqu'un pouvait arrêter la simulation si les choses se corsaient...

Elle tint son sabre devant elle, prête pour le combat. Elle scruta les visages de ses adversaires; David Dubois n'était pas de la partie. La poudre l'avait-elle rendu trop malade?

D'un mouvement sec, le chef du clan attrapa la lame de Zeckie et se trancha les doigts. Du sang bleu gicla des coupures qu'il s'était infligées. Les phalanges tombèrent mollement sur le sol, et des blessures sortirent des tentacules qui agrippèrent le bras de Zeckie. Surprise, elle lâcha son arme. Dans la pièce résonna un bourdonnement grave, peut-être un rire de Mycoloïde.

— Qui es-tu, Zeckie Zan? chuchotèrent-ils à l'unisson, leurs iris étincelant dans l'ombre.

À tâtons, Zeckie tendit la main vers son poignet. Le Mycoloïde en chef perçut son geste et, de ses tentacules, il découvrit l'ordinateur qui y était dissimulé. Il y inscrivit une série de chiffres, et un gouffre s'ouvrit au milieu de la pièce, créant un tourbillon de vent. Zeckie ne put retenir une exclamation ahurie ; les Mycoloïdes connaissaient l'existence et le fonctionnement de son Syctid !

L'un de ses adversaires lui saisit la gorge, un autre lui empoigna l'épaule, et ils la poussèrent vers le vortex. Paniquée, Zeckie songea qu'elle ne savait pas où menait ce portail. La tête au cœur de l'ouragan, elle se débattit avec force, se retenant à ses agresseurs pour ne pas plonger vers le néant.

Puis la fiole rouge lui revint en mémoire. La poudre ! Elle se trouvait toujours dans son veston.

Zeckie se ressaisit. D'un élan, elle balança ses longues jambes et enserra le cou du Mycoloïde devant elle. Étranglé, celui-ci eut un mouvement de recul qui tira la jeune Gaïenne de sa fâcheuse position.

Dès qu'elle roula sur le sol, Zeckie frappa une touche sur son Syctid. La brèche artificielle disparut avec un claquement sonore.

Les Mycoloïdes se ruèrent alors sur Zeckie qui, vivement, sortit le flacon de sa poche pour en asperger ses agresseurs. Ils hurlèrent en chœur. L'adolescente profita de cette diversion pour brandir son arme.

Soudain, la porte de la remise s'ouvrit à la volée.

— Que se passe-t-il ici ? tonna la voix du directeur.

Avant que les yeux de M. Samson puissent s'accoutumer à la pénombre, Zeckie avait remis son sabre dans son tube et un Mycoloïde avait ramassé les doigts de Michaël qui, lui, avait caché ses tentacules sous son manteau.

M. Samson examina la scène, incrédule. Un groupe d'élèves étaient penchés sur Zeckie Zan, allongée sur le sol.

— Vous savez que l'intimidation est interdite à l'école ! gronda Raoul Samson. D'ailleurs, il y avait un ruban de sécurité dehors ; vous n'avez donc aucun droit d'être ici !

Zeckie et son assaillant se scrutèrent du coin de l'œil. Il avait un côté du visage tout rouge.

— C'est elle qui a commencé ! lança-t-il.

— Michaël Laforêt, vous êtes onze contre une ! J'ai de la difficulté à croire ça. Quelle est la raison de cette querelle ?

Puisque personne ne répondait, le directeur ordonna :

— Rentrez chez vous, à présent, et je veux vous voir à mon bureau demain matin, première heure !

Les Mycoloïdes se retirèrent en silence, et Raoul aida Zeckie à se relever.

— Ça va ?

— Oui. Ne vous inquiétez pas, ils ne m'ont fait aucun mal, lui assura la jeune fille.

« Un peu grâce à vous... » pensa-t-elle, reconnaissante, en quittant les lieux.

Raoul observa la jeune fille traverser la pelouse. Si, au début, le directeur l'avait prise pour une élève modèle, il n'en était plus aussi certain...

***

Zeckie claqua la porte d'entrée et lâcha son sac sur le parquet du hall. D'un pas déterminé, elle s'avança vers la cuisine, exécuta un bref salut sur le seuil sans attendre que le Saonu l'y invite, et se planta à côté de lui. La mâchoire serrée et les bras croisés, elle contenait à peine sa colère.

— Avec tout le respect de Gaïa, papa, j'exige une explication !

Le Saonu lui tournait le dos et observait

les consignes venues de Gaïa sur l'écran du Neuropode. Il pivota, la dominant de sa haute taille, et fronça les sourcils devant tant de familiarité.

— Que me vaut cette irruption, ma fille ?

— J'ai été agressée par une bande de Mycoloïdes ! répliqua-t-elle, le menton haut, défiant son mentor.

— Cela fait partie de la tâche d'un agent interdimensionnel. Votre devoir consiste en autre chose qu'à magasiner des uniformes et à papoter avec les Terriennes de votre âge. Croyiez-vous vaincre les Mycoloïdes d'un coup de baguette magique ?

Zeckie ne broncha pas.

— Non, mais je ne m'attendais pas à ce qu'ils connaissent mes armes. J'ai presque été catapultée dans une dimension inconnue ! Ils sont bien plus forts qu'on me l'a enseigné ! Pourquoi ne m'a-t-on pas avertie des véritables risques que je courais ?

— Peut-être nous sommes-nous trompés. Cette mission aurait dû être confiée à quelqu'un de plus mature et responsable, grommela le Saonu, sourd à sa question.

— Je comprends maintenant pourquoi mes collègues de dortoir vous avaient élu despote du campus !

Elle sortit de la pièce en coup de vent, omettant sa révérence.

Plus tard, assise sur le coin de son lit défait, elle essuya une larme de rage du revers de la main. Elle avait rarement pleuré dans sa vie. La seule fois qu'elle se rappelait, c'était lorsqu'elle avait six ans et qu'elle s'était fêlé une côte à un entraînement. On lui avait alors appris qu'un agent gaïen digne de ce nom ne se laissait pas aller à ce genre d'émotion.

Cette fois, ses larmes étaient causées par le choc d'avoir failli succomber à l'attaque des Mycoloïdes. Les simulations les représentaient comme des êtres faibles, peureux et plutôt faciles à attraper. Zeckie savait à présent qu'il n'en était rien; ils étaient intelligents et fins stratèges.

Hélas, elle ne pourrait noter ces constatations dans son prochain rapport, car il n'y en aurait pas d'autre.

Insulter un Saonu constituait une grave offense pour une élève. Elle ne terminerait pas sa mission et n'accéderait pas au niveau Kao. Elle regrettait maintenant d'avoir affiché autant d'animosité. La mort dans l'âme, elle replaça ses draps, prenant soin de lisser le couvre-pied, et entreprit de décrocher son affiche de Wonder Woman, l'héroïne terrienne.

Le Saonu trouva Zeckie affairée au ménage de sa chambre et l'observa un moment, l'air grave. La jeune fille se redressa devant lui, évitant son regard.

— À quand sera fixé mon départ pour Gaïa, Saonu ? articula-t-elle, la gorge nouée malgré elle.

— Ne pensez pas vous en sauver si facilement ! Votre mission ici n'est pas finie !

— Ah… non ? s'étonna Zeckie.

— La brèche est-elle refermée ? Non ! Secouez-vous un peu ! Si ces organismes ont découvert nos armes, alors il faut en inventer d'autres.

Zeckie esquissa un sourire.

— Bien, Saonu ! Je serai désormais à la hauteur de vos attentes !

— Préparez-vous à un rude entraînement ! Et si vous continuez à m'appeler Saonu et non papa, vous copierez cinq fois en entier les huit cents pages des Saintes Écritures de Gaïa ! conclut-il.

« Dire que j'étais sur le point de l'apprécier », songea Zeckie.

Rapport 5.0
Identification : 2259-826-1935-0-432
Niveau : Zan
Dimension : Terre

État de l'enquête : Découverte imminente de la brèche. Confrontation avec une douzaine de Mycoloïdes camouflés. Sans doute gardiens du portail.

Observations : Terriens glorifient et quantifient les fruits de Fungiia sans se douter de leur provenance. Grand danger que le passage soit bientôt repéré par un Terrien.

Avis aux agents gaïens : IMPORTANT ! Pour une raison encore inconnue, les Mycoloïdes connaissent le fonctionnement des Syctids gaïens. Mycoloïdes beaucoup plus forts et agiles que prévu. Et plus ils sont nombreux, plus ils sont futés.

10

Le lendemain, Zeckie et le Saonu décidèrent de concevoir une arme efficace, car si la jeune fille se retrouvait de nouveau cernée par les Mycoloïdes, elle devait pouvoir se défendre. La poudre qu'elle avait fabriquée demeurait utile pour les marquer ou les surprendre, mais le Saonu lui avait promis de penser à une façon de la rendre plus puissante pendant qu'elle serait en classe.

En attendant, elle continuerait d'observer les jeunes humains et resterait discrète.

Ce matin-là, perdue dans ses songes, elle était à mille lieues du cours de français quand elle entendit l'enseignante appeler David Dubois.

— Présent, répondit-il.

Zeckie tourna des yeux surpris en direction du jeune homme. Il ne restait qu'une pâle marque rouge sur sa joue, et l'éruption cutanée semblait en voie de guérison. Il la fixa à son tour, un reflet calme et serein dans ses pupilles vertes.

Zeckie ne comprit pas cette attitude placide ; les autres Mycoloïdes crachaient pourtant sur le passage de la jeune fille. Quelque chose ne tournait pas rond : elle le trouvait différent de ses congénères et, d'instinct, elle se méfiait encore plus de lui.

Lorsque Marie Jolicœur appela Michaël Laforêt, Zeckie constata que celui-ci était absent. Elle guetta David tout au long du cours. Avant de quitter la classe, Marie la retint.

— Tiens, Zeckie, une surprise pour toi et ton papa.

Zeckie regarda dans le sac de papier que lui remit l'enseignante et vit des petits gâteaux au chocolat. Stupéfaite, elle bredouilla un « merci » et s'éloigna. Décidément, le Saonu faisait de l'effet à Marie Jolicœur !

***

L'après-midi, Béatrice chercha Zeckie en vain, car la jeune fille était rentrée chez elle avant même la fin des cours. Depuis le début de la semaine, Zeckie avait un comportement plus énigmatique que d'habitude. Elle était distante, s'absentait souvent et se tenait près du terrain de jeux. Béatrice se demandait si la nouvelle élève n'était pas préoccupée par quelqu'un qui jouait chaque jour au soccer, en l'occurrence Kazuo…

En tentant de repérer son amie, Béatrice fut encore une fois témoin d'une des mystérieuses transactions de Jimmy. Il tendit un sac à un étudiant en échange d'une somme rondelette ; de ce qu'elle put discerner, il y avait deux billets de vingt dollars. Cela la rendit furieuse : Jimmy cherchait vraiment à être expulsé de l'école !

Il referma son casier et marcha sans se presser vers l'extérieur. Les joues enflammées par la colère, Béatrice le suivit jusqu'à la limite du stationnement. Lorsqu'il n'y eut plus aucun étudiant autour d'eux, elle lança d'un ton cinglant :

— Je t'ai vu !

Nonchalant, Jimmy pivota vers elle.

— Et ?

— Je ne sais pas ce que tu fricotes, mais je me doute que c'est interdit !

Avec un sourire moqueur, le jeune homme continuait de marcher à reculons. Aux abords du boisé, il prit un air angélique.

— Moi ? Je ne ferais jamais une chose pareille !

— Tu mériterais que je te dénonce ! s'emporta Béatrice devant son arrogance.

Le regard de Jimmy s'assombrit.

— Eh bien, vas-y !

Il lui tourna le dos et s'engagea sur le sentier. Béatrice hésita un instant avant d'entrer dans la forêt, puis le rattrapa en courant.

— Jimmy !

Le dos voûté et sa planche à roulettes sous le bras, l'adolescent se déplaçait à grandes enjambées, soulevant par vagues les feuilles mortes qui encombraient le chemin.

— Jimmy, parle-moi ! Avant, tu me racontais tout, mais aujourd'hui tu me traites comme une étrangère. Je pourrais peut-être comprendre si tu…

Il s'arrêta.

— Chaperon rouge, sais-tu qu'il n'est pas prudent de suivre le grand méchant loup dans la forêt ?

— Arrête tes singeries. Je ne suis plus une petite fille.

— Dans ce cas, qu'est-ce que tu t'imagines ? Que je suis un baron de la drogue et que je la vends au kilo dans des sacs de papier brun ?

Embarrassée, Béatrice rougit. Elle venait de se rendre compte à quel point son accusation semblait ridicule.

— Euh… non, bafouilla-t-elle en baissant

le nez. J'avoue que ce serait plutôt improbable…

Elle resta plantée là, penaude, attendant que son ami d'enfance reprenne sa route. Puisqu'il ne bougeait pas, elle releva les yeux. Les sourcils froncés, il observait la forêt derrière elle.

— Qu'est-ce…

— Chut ! ordonna-t-il en posant l'index sur ses lèvres.

Béatrice se tut, craintive. Le bosquet était désormais muet, pas même une feuille ne tremblait. Béatrice remarqua, en bordure du chemin, que sur l'écorce d'un vieil érable s'agglutinait une matière bleuâtre. Les deux adolescents s'approchèrent pour examiner la substance insolite.

— C'est quoi ? demanda Jimmy. C'est apparu pendant qu'on discutait.

— On dirait de l'ectoplasme !

Béatrice tendit les doigts et, subitement, la tache disparut. Stupéfaits, les deux jeunes gens reculèrent d'un pas. Le phénomène se manifesta de nouveau sur un tronc d'arbre plus loin. Jimmy s'empara d'une branche et tenta de toucher la résine.

— Lâche ça ! On ne sait pas ce que c'est !

— On assiste peut-être à un épisode de

La guerre des mondes[*] ! ricana-t-il. Tu as encore ton vieux microscope ?

D'un geste vif, il réussit à recueillir une petite partie de la glu. Satisfait, il scruta le bout de son morceau de bois et constata que cette matière se composait de milliers de vésicules violacées.

La tache s'effaça ensuite de l'arbre sans réapparaître.

Béatrice frissonna et ferma les pans de son manteau.

— Je n'ai jamais entendu parler de quelque chose de pareil, murmura-t-elle.

Jimmy glissa la branche engluée dans la poche de son chandail et, lorsqu'il ouvrit la bouche pour répondre, un bourdonnement le coupa. Sur le sentier, le tapis de feuilles vola en tous sens, comme si une créature rampait dessous. Cette ondulation passa entre les jambes de Jimmy et continua son mouvement jusqu'à Béatrice, la fauchant. La jeune fille se retrouva assise. Jimmy tira Béatrice par la manche pour l'aider à se lever, mais une secousse du sol le fit basculer à son tour.

---

* Roman de science-fiction de H.G. Wells écrit en 1898 et relatant l'invasion de Martiens sur la Terre. Il a inspiré une émission radiophonique réalisée par Orson Welles en 1938, qui avait semé la panique chez les auditeurs. Il fut aussi porté deux fois à l'écran, en 1952 et en 2005.

L'adolescent n'attendit pas le retour de la vague pour réagir. Il se redressa d'un bond, jeta Béatrice sur son épaule, saisit sa planche de l'autre main et déguerpit à toutes jambes vers l'orée de la forêt.

— Jimmy ! J'ai perdu mes lunettes !

— Oublie-les !

Malgré sa vision trouble, Béatrice repéra l'onde qui se dirigeait sur eux.

— Vite ! Ça nous rejoint ! Vite !

Dès que le bois se clairsema, il lança sa planche sur le sol et, de quelques coups de pied, parcourut le reste du chemin en roulant le plus rapidement possible. Près de la rue qui délimitait le boisé, Jimmy déposa Béatrice sur le gazon et reprit son souffle, les mains sur les genoux.

— Si tu ne me trouves pas une explication logique à ça, je vais croire à l'invasion des extraterrestres ! souffla-t-il.

— C'est drôle, Zeckie m'avait avertie de ne pas utiliser ce sentier.

— Cette fille bizarre ? Elle ne t'a rien dit d'autre ?

— Non. As-tu la branche ? Peut-être qu'on peut éclaircir une partie du mystère…

Un instant plus tard, les deux adolescents entraient dans la chambre de Béatrice. Celle-ci dénicha son microscope qui accumulait la poussière dans une armoire et dégagea une petite place sur sa table de travail.

— Et moi qui pensais que ma chambre était bordélique ! se moqua Jimmy en se laissant tomber sur le lit.

— Je me passerais de tes commentaires ! Donne-moi l'échantillon.

Jimmy glissa la main dans son chandail et la retira avec un juron.

— La glu a coulé au fond de ma poche !

Il retira son chandail et croisa les bras sur son torse nu. Avec un sourire en coin, Béatrice prit le vêtement et déposa la substance sur une lame pour en faire un frottis. Après quelques ajustements, l'étrange matière apparut dans l'objectif du microscope.

— Alors, qu'est-ce que c'est ?

— Ça ressemble à des spores. C'est propre aux champignons, mais je n'en ai jamais observé de pareilles…

Jimmy se pencha sur l'oculaire à son tour.

— Ce n'est pas vivant. Comment ça pouvait voler dans ce cas ?

La porte s'ouvrit.

— Béatrice, je…

Julien Paradis se tut et écarquilla les yeux devant la scène. Il était plutôt inhabituel de surprendre des garçons dans la chambre de Béatrice, encore moins Jimmy Desjardins, et torse nu de surcroît !

— Désolé, je ne savais pas que tu avais un visiteur. Bonjour, Jimmy. Il y a longtemps qu'on t'a vu…

— Salut, monsieur Paradis. Beau t-shirt ! répondit-il en désignant le logo de Metallica.

Jimmy enfila son chandail et son sac à dos puis lança à Béatrice :

— Jusqu'à ce qu'on comprenne ce qui se passe, je crois qu'on devrait éviter le bois.

— De mon côté, je vais essayer de m'informer sur ce que sait Zeckie.

— À plus tard, Béa ! Salut, monsieur Paradis !

Le père de Béatrice se remit de sa surprise et, les poings sur les hanches, se tourna vers sa fille.

— Qu'est-ce que tout ça signifie ?

— Jimmy et moi avons été témoins d'un phénomène très étrange dans la forêt. Il y avait cette matière fongique qui se déplaçait d'arbre en arbre. Tu connais un champignon qui fait ça ?

— Béatrice… Tu es certaine que Jimmy ne t'a pas refilé une substance hallucinogène ? s'inquiéta Julien.

— Ah ! papa ! Franchement !

Cependant, la jeune fille songea qu'avec cette mésaventure elle ne savait toujours pas ce que trafiquait Jimmy…

***

Le vendredi après-midi, Béatrice se joignit à Zeckie sur les gradins du terrain de jeux. Une partie de soccer opposait leur équipe à celle d'une ville voisine. Les bancs débordaient de jeunes survoltés venus encourager leurs camarades.

Zeckie, qui s'était montrée discrète les derniers jours à l'école, regrettait de ne pouvoir explorer le bâtiment qui abritait le passage vers Fungiia. Il y avait beaucoup trop de monde, et ce jeu se prolongerait durant un bon moment. Béatrice la salua et s'assit à côté d'elle, ajustant une vieille paire de lunettes qu'elle avait réussi à rafistoler.

— Avoue quand même qu'il n'est pas mal ! chuchota Béatrice à Zeckie en désignant Kazuo.

À ce moment, le jeune homme en question remarqua Zeckie dans la foule et bomba le torse : peut-être qu'elle venait le voir jouer… Le ballon vola sous son nez, et un de ses coéquipiers siffla :

— Hé, Miyabe, ce n'est pas le moment d'être dans la lune !

Kazuo reprit ses esprits pour se concentrer sur le jeu. Béatrice ne put s'empêcher de sourire à Zeckie qui leva les yeux au ciel.

— Au fait, je voulais te demander pourquoi tu m'avais recommandé de ne pas passer par le bois l'autre jour, s'enquit Béatrice.

— J'ai eu une drôle d'impression, voilà tout !

Béatrice fronça les sourcils, sceptique.

— Tu avais raison. J'étais avec Jimmy mercredi, et il nous est arrivé quelque chose d'effrayant…

Zeckie cherchait une histoire plausible à raconter quand elle repéra Nadia qui descendait les gradins en ondulant des hanches dans son jean moulant. Béatrice suivit son regard.

— Ah ! Voilà Miss Nombril du monde…

— Pourquoi dis-tu cela ? interrogea Zeckie, heureuse de détourner la conversation.

— Elle a gagné un concours de beauté régional et, maintenant, elle croit qu'elle a la Terre entière à ses pieds ! Pourtant, elle vient de se trouver une rivale de taille ! affirma

Béatrice avec un petit rire moqueur.

— Qui ? demanda naïvement Zeckie.

— Toi, voyons ! Même sans l'incident du spaghetti, tu serais devenue son ennemie jurée. Tu es cent fois plus belle qu'elle, et elle ne l'accepte pas !

Zeckie sourcilla sans comprendre. Sur Gaïa, la beauté n'avait aucune valeur, seule la nature pouvait être qualifiée de « belle ».

Comme Nadia passait près d'elles, Béatrice reçut un gros coup de cartable derrière la tête et en perdit ses lunettes.

— Aïe ! Attention, maudite chipie !

— Ton gros cerveau était dans le chemin, ricana Nadia.

Cette dernière continua sa route et rencontra Jimmy qui l'attendait en bordure du terrain de jeux. Béatrice les fixa avec une moue désapprobatrice.

— Salut ! roucoula Nadia.

— Laisse-la tranquille, exigea Jimmy.

— Quoi ? De qui parles-tu ?

— Béatrice. Fous-lui la paix.

— Qu'est-ce que ça peut te faire, c'est un rat de bibliothèque !

Jimmy lui prit le bras.

— Je te demande de ne plus l'écœurer ! Et arrête de jouer les pimbêches !

— Lâche-moi, espèce de dégénéré !

La claque qui s'ensuivit résonna si fort qu'une partie de la foule abandonna la partie pour observer la scène. L'oreille bourdonnante, Jimmy porta la main à sa joue et serra la mâchoire, les yeux plus noirs que jamais. Nadia s'éloigna avec une expression dédaigneuse. De son côté, le jeune homme humilié partit sur sa planche à roulettes.

Ce fut le seul événement marquant de ce match.

***

Le Saonu 618 se pencha sur l'écran du Neuropode et écouta pour la troisième fois le message qu'il avait reçu de Gaïa. Un petit hologramme représentant le Saonu 774 apparut devant lui. L'homme rondelet et chauve semblait bouleversé.

« Cette mission n'est pas ce que vous pensiez. Revenez… »

La communication s'interrompait là, sans plus de détails. Il était évident que le Saonu 774 n'avait pu terminer son message avant qu'il soit envoyé. Intrigué, le Saonu 618 tenta en vain de rétablir le contact avec sa dimension.

De quelle façon devait-il interpréter cela ?

Comme un avertissement ou comme une erreur ? Il avouait que, depuis le début, cette mission s'avérait très lourde pour une jeune agente de niveau Zan. Il s'était souvent interrogé à ce propos. Et pourquoi la Saïna 263 avait-elle assigné une telle tâche à une élève qu'elle jugeait mauvaise.

Et pourquoi l'avait-elle envoyé, lui ? Il ne s'adonnait jamais à ce genre de tâche, il était à un échelon trop élevé. La Saïna avait-elle quelque chose à lui reprocher en le rétrogradant de la sorte ?

Troublé par le signal de détresse, le grand homme retourna à sa table de travail où il s'affairait à inventer une arme efficace pour sa pupille. Dans un magasin à rayons, il avait trouvé un pistolet qui lançait des balles de peinture. Il tentait de remplacer la couleur par une formule liquide de la poudre qu'avait produite Zeckie.

Bien sûr, le règlement stipulait qu'en tant que mentor il ne devait pas aider son élève à accomplir sa mission. Cependant, il ressentait un élan de sympathie pour son apprentie. Elle utilisait des méthodes peu orthodoxes et était trop émotive, mais il demeurait convaincu qu'elle pouvait réussir.

Il consulta l'horloge. Dix-sept heures

quarante-deux. Pourquoi Zeckie traînait-elle à l'école le jour où on leur transmettait un important message ? Il ne voulait pas avoir à l'attendre si elle partait en cavale avec des adolescents parce que « ça faisait partie de sa mission d'agent d'infiltration » !

Le carillon de la porte retentit. À la grande surprise du Saonu, Marie Jolicœur s'avança sur le seuil et sourit timidement. Elle sentait bon le muguet.

— Bonjour ! Puisque c'est vendredi, je me demandais si vous étiez libre pour aller au cinéma ce soir…

Le Saonu resta sans voix. Il était plus prudent de ne pas tisser de liens avec les habitants d'une dimension étrangère. Pourtant, une petite voix le sommait d'accepter.

Il se gratta la nuque, embarrassé.

Avant qu'il puisse répondre, un mouvement derrière l'enseignante attira son attention. Marie suivit son regard.

Une douzaine de jeunes marchaient vers eux, plusieurs portant les marques d'une vilaine crise d'urticaire.

— Quel charmant portrait ! railla l'un d'eux.

Curieuse, Marie s'enquit :

— Michaël Laforêt ? Pourquoi es-tu ici ? Est-ce que ça va ?

11

— Ah ! papa, arrête de me casser les oreilles avec ça ! C'est ridicule !

— Béatrice, nous devons avoir cette conversation un jour ou l'autre.

— Je n'écoute plus ! Lalalalalère ! chanta l'adolescente, les mains sur les oreilles.

— Julien, pourquoi est-ce que tu ne veux pas que Béatrice passe la nuit seule ? À son âge, elle est bien capable de se garder. S'il y a quelque chose, elle peut aller chez les Miyabe à côté, et sa grand-mère demeure à cinq pâtés de maisons. Je ne vois pas où est le problème, opposa Simone en mettant un anorak au petit Émile.

— Simone ! Hier, j'ai trouvé un garçon à moitié nu dans la chambre de notre fille ! Et, en plus, c'était Jimmy Desjardins !

Simone plaça les bagages devant la porte d'entrée et lança un manteau à son mari.

— Béatrice a presque quinze ans, elle est sensée, et j'ai confiance en elle. Et Jimmy n'est pas un si mauvais garçon, il se sent simplement brimé par ses parents. Alors, tu viens, maintenant que tu as terminé ta crise existentielle de père ?

— Euh… les cigognes, les choux et tous les trucs d'éducation sexuelle, il faudrait l'avertir, non ? s'inquiéta Julien.

— Elle sait tout ça depuis longtemps, nous en avons déjà discuté ! Maintenant, va porter les valises dans l'auto avant que je parte seule avec Émile, ordonna Simone.

Contrarié, Julien prit son fils dans ses bras.

— Dépêche-toi de grandir, Émile, pour que je ne sois plus en minorité dans cette maison !

Simone plaqua un baiser sur la joue de Béatrice.

— Bonne soirée ! Je sais que tu dois travailler à ton robot, mais s'il y a quoi que ce soit, tu connais le numéro de mon cellulaire, chuchota-t-elle.

Avec un bref signe de la main, Béatrice salua sa famille. Qu'est-ce qu'ils avaient à s'affoler, tout à coup ? Il n'allait rien lui arriver !

Ce soir, elle continuerait à monter son robot, apporterait des retouches à son costume d'Halloween et s'endormirait devant la télévision. Ce n'était pas comme si les garçons se précipitaient à sa porte aussitôt que ses parents partaient…

***

Dès que Zeckie remonta l'allée broussailleuse qui menait à sa demeure, elle sut que quelque chose n'allait pas. La porte d'entrée battait en grinçant, et la maison était plongée dans l'obscurité. La jeune Gaïenne tira le sabre de son tube et avança d'un pas hésitant dans la pénombre du hall. Elle fit le tour du rez-de-chaussée, son arme pointée devant. Dans la cuisine, le vent se faufilait par la fenêtre brisée et jouait avec un pan de rideau.

Le souffle de Zeckie s'accéléra. Le Saonu n'aurait pas quitté la résidence sans lui transmettre un message !

Elle pressa l'interrupteur, et une lumière crue éclaira la pièce. La jeune fille poussa une exclamation : les meubles étaient sens dessus dessous, les murs portaient des marques de lame et le robinet de l'évier fuyait. Zeckie remarqua des taches rondes et rouges un peu partout. Elle essuya cette substance du bout du doigt et constata qu'il s'agissait d'une matière semblable à la poudre qu'elle avait fabriquée. Ce devait être l'arme que le Saonu avait préparée pour elle. Malheureusement, elle n'avait guère été efficace dans ce combat.

Sur le sol, Zeckie put suivre des traces bleues. Le Syctid à son poignet lui confirma que les Mycoloïdes étaient passés par ici. L'un d'eux avait dû être blessé.

Plus loin, le sabre du Saonu reposait sur le sol, ce qui laissait présager le pire. Découragée, Zeckie ramassa la lame et l'enferma dans son tube.

Un petit sac de cuir attira alors son attention. Elle l'ouvrit et y trouva un portefeuille qui appartenait à Marie Jolicœur. Le Saonu n'était pas seul au moment du drame !

Ébranlée, Zeckie s'affala sur une chaise pour rassembler ses idées. Elle n'était pas un agent expérimenté, comment devait-elle répondre dans un cas comme celui-ci ? Le Saonu et Marie Jolicœur avaient sans doute été enlevés par les Mycoloïdes et ceux-ci ne tarderaient pas à revenir la chercher. Il fallait agir vite !

Elle songea au Neuropode : peut-être pouvait-elle communiquer avec Gaïa. Normalement, un élève n'avait pas le droit de se servir de cet appareil ; seul son mentor pouvait envoyer des messages. Mais cette situation exigeait des mesures extraordinaires.

À son grand désespoir, l'appareil avait été saccagé et ne semblait plus fonctionner. Et elle ne savait ni le réparer ni rétablir la communication avec sa dimension. Elle se prit la tête entre les mains. « Réfléchis ! Réfléchis ! »

Du coin de l'œil, elle aperçut un flash. La silhouette dodue du Saonu 774 apparut en miniature entre les gerbes d'étincelles que produisaient les fils sectionnés de la machine. Zeckie se pencha en avant pour entendre la voix éteinte et chevrotante de l'hologramme.

— Cette mission n'est pas ce que vous pensiez. Revenez…

Le message roulait en boucle et, en constatant l'air effaré de l'agent de Gaïa, Zeckie sut que l'heure était grave.

Elle baissa les yeux sur son poignet. Son Syctid avait la capacité de la renvoyer dans sa dimension en un clin d'œil. Hélas, elle n'avait aucune idée de l'endroit où elle aboutirait dans son plan d'origine... Et ce serait peut-être pire que la situation actuelle !

De plus, si elle fuyait la Terre de cette

façon, elle serait couverte de ridicule. Aucun agent ne la considérerait avec sérieux, car elle aurait été incapable de terminer sa première mission. Elle pourrait dire « à Gaïa » à sa carrière !

Il n'y avait qu'une solution : trouver le Saonu. Elle ne savait pas trop comment, mais elle se rendrait d'abord à la brèche qui reliait la Terre à Fungiia pour obtenir des réponses…

***

Assis sur les gradins, les bras croisés derrière la tête, Jimmy observait le terrain de jeux éclairé par des projecteurs. Il laissait se consumer doucement la cigarette suspendue à ses lèvres, faisant le point sur les événements de l'après-midi.

S'il s'attendait depuis quelque temps à cette rupture avec Nadia, il ne se doutait pas qu'elle serait aussi retentissante. Cette claque, qui étalait son rejet devant toute l'école, l'avait humilié plus qu'il ne voulait l'admettre.

Ce qui l'attristait surtout dans cette histoire, c'était son impression de n'avoir sa place nulle part. Il était condamné à errer seul, sans amis.

Cette fin de semaine, ses parents séjournaient à la maison pour la première fois depuis des lunes, et Jimmy ne ressentait aucune envie de les voir. Il ne savait pas où aller et ne pouvait rester dans le parc au-delà de vingt-deux heures sans quoi les policiers le ramèneraient chez lui. Au moins, il avait un sandwich dans son sac s'il avait faim d'ici là.

Son regard se perdit dans le firmament. Ce soir, il aurait aimé être sur une autre planète.

Un bruit le tira de sa rêverie. Il se pencha, intrigué, et repéra Zeckie Zan près du bâtiment qui servait de remise pour les équipements sportifs. Devant une porte cadenassée, la jeune fille jeta un coup d'œil autour d'elle, puis sortit un sabre d'argent du tube de plastique qu'elle transportait toujours avec elle.

Étonné, Jimmy se terra sous son banc pour se dissimuler. Zeckie leva son arme et coupa le cadenas sans difficulté. Le battant s'ouvrit sur une lueur bleue.

Jimmy se contorsionna pour mieux scruter la scène. Zeckie se tenait en position offensive devant un tourbillon de lumière qui crachait des bourrasques et des décharges électriques.

— Aïe !

La cigarette avait fini par brûler les doigts de l'adolescent qui, la main sur la bouche, étouffa son exclamation.

Cela dépassait tout ce que sa très fertile imagination avait pu concevoir…

***

Zeckie inspira profondément. Ses cheveux lui fouettaient les joues, et son cœur battait la chamade. La brèche était telle qu'elle l'avait imaginée.

Autour de cette gueule béante proliféraient des talles de champignons.

Zeckie regrettait de ne pas avoir de mentor pour la guider dans cette opération risquée. Elle hésita un instant de trop avant de traverser.

Surgissant de nulle part, Michaël Laforêt l'immobilisa d'une puissante clé de bras qui la força à lâcher son arme. De sa main libre, Zeckie envoya un coup sur l'oreille de son agresseur qui se retira avec un gémissement. Deux de ses acolytes entrèrent en scène.

Les coups de pied de la Gaïenne les éloignèrent un instant pendant qu'elle donnait un uppercut adroit au leader. Elle voulut sortir sa fiole de poudre, mais un des Mycoloïdes prévit son geste, et le poison roula sur le sol.

— À trois contre un, le rapport de force n'est pas très juste !

Jimmy avait choisi ce moment pour faire irruption.

Profitant de la stupeur de ses assaillants, Zeckie ramassa son sabre et le projeta sur la gorge de Michaël, qui se fendit et laissa échapper un flot de sang bleu.

Estomaqué, Jimmy allait empêcher Zeckie de poursuivre sa violente attaque quand la peau de Michaël tomba sur le sol comme un morceau de tissu. De cette dépouille sortit une créature terrible, aux membres tentaculaires et à la peau iridescente. Celle-ci n'avait ni yeux ni bouche, qu'un long proboscis semblable à celui d'un insecte.

— Je rêve… C'est un trucage de cinéma ! glapit Jimmy.

Plus habile qu'une championne d'escrime, Zeckie débarrassa les autres simulacres de leurs costumes en un tournemain. Elle réussit à en pousser un dans le vortex, mais le deuxième lui fouetta le poignet de sa trompe. La jeune fille se retrouva captive des tentacules des deux Mycoloïdes restants, étranglée par un des appendices.

Jimmy s'éclipsa un moment et revint avec

un bâton de base-ball subtilisé dans la pièce à côté. Il le balança sur les monstres pour les obliger à lâcher prise et tira Zeckie à l'extérieur.

Étourdie, elle se laissa entraîner au pas de course vers la rue déserte qui longeait l'école.

— Vite ! Ils nous rattrapent ! la pressa Jimmy.

Zeckie jeta un coup d'œil en arrière, puis tenta de consulter son ordinateur.

— Mon Syctid… Il ne fonctionne plus !

— Oublie ça ! Il faut se cacher ! Est-ce qu'on sera en sécurité chez toi ?

— Oh non ! C'est le premier endroit où ils chercheront !

Jimmy serra les dents et regarda autour de lui.

— Viens ! Je sais où aller !

***

Kazuo ouvrit la fenêtre de sa chambre en prenant toutes les précautions pour ne faire aucun bruit. Si son père croyait qu'il passerait son vendredi soir à étudier, il se trompait !

Puisqu'il était à l'étage, il dut escalader la pente du toit et se faufiler sous la lucarne de la chambre de ses parents afin d'atteindre le gros arbre à la limite du terrain voisin. Ce n'était pas la première fois qu'il exécutait cette périlleuse acrobatie, et il avait de bons trucs.

Au moment où Kazuo s'élançait dans la ramure, quelqu'un se présenta à sa porte. Il se dissimula.

C'était Nadia Fréchette. Le père de Kazuo eut la délicatesse de ne pas mentionner que son fils était encore en punition et répondit plutôt qu'il était déjà au lit. Nadia remercia M. Miyabe et redescendit les marches jusqu'au trottoir.

Kazuo soupira. Au moins, son père lui avait fourni un alibi, et Nadia était repartie. Cette fille croyait qu'elle pouvait l'attirer facilement dans ses filets, sauf que lui n'avait aucune envie de la fréquenter. Elle aimait butiner au gré de ses humeurs, et il semblait être le prochain élu sur sa liste.

Non, ce soir, il irait chez Zeckie. Il ne savait pas pourquoi, mais il avait l'impression d'avoir beaucoup en commun avec elle. Il était aussi déterminé à connaître ce qui se cachait derrière son air mystérieux. Elle ne pouvait se borner à le repousser s'il lui offrait gentiment son amitié, n'est-ce pas ?

Il sauta de son perchoir et s'agrippa à une

des branches noueuses du chêne. Si son père découvrait son stratagème, il ne faudrait pas longtemps avant que l'arbre subisse un sérieux émondage…

Des pas résonnèrent sur le trottoir, et Kazuo se cacha entre les feuilles. Nadia revenait-elle sur ses pas ?

Il vit plutôt arriver Jimmy, accompagné de Zeckie. Que fabriquaient-ils ensemble ?

Kazuo serra les dents. Il n'avait vraiment pas de chance ! Que trouvait-elle à une brute pareille ?

À son grand étonnement, les deux adolescents se rendirent chez Béatrice. Absorbé par ce qu'il voyait, Kazuo ne se rendit pas compte que, sous lui, l'écorce changeait de texture.

* * *

Jimmy cogna pour la troisième fois en maugréant.

— Allez ! Réponds, Béa ! Je sais que tu es là, la lampe de ta table de travail est allumée !

Zeckie jeta un coup d'œil derrière elle, son sabre pointé en avant.

— Personne n'est à nos trousses… pour l'instant !

Jimmy se pencha vers la rocaille et y cueillit

des cailloux qu'il lança en direction de la chambre de Béatrice. Comme personne ne venait, il en choisit un plus gros. Un carreau éclata sous le choc et, après quelques secondes, la tignasse hirsute de Béatrice apparut. D'abord craintive, elle aperçut Jimmy et ouvrit la fenêtre à la volée.

— Jimmy ! Tu es fou ? J'aurais pu être blessée ! Qu'est-ce que tu me veux à cette heure-ci ?

— Ouvre ! On est pourchassés !

— Qu'as-tu encore fait ? gronda Béatrice avant de remarquer qu'il n'était pas seul. Zeckie ? Pourquoi tiens-tu une épée ?

— Barbarella*, ici, a combattu des extraterrestres sous mes yeux ! Laisse-nous entrer et on t'expliquera !

À ce moment, le feuillage du chêne des voisins frémit, et une masse s'écrasa dans le gazon. Kazuo bondit en avant, essuyant ses mains sur son jean. Effaré, il observa ses doigts, puis l'arbre, pour enfin adresser un air contrit aux autres.

— Le... L'écorce est devenue bleue ! Je ne comprends pas...

---

* Personnage controversé de bande dessinée créé par Jean-Claude Forest en 1962, qui devint, en 1968, l'héroïne d'un film culte de science-fiction mettant en vedette Jane Fonda.

Jimmy reporta son attention sur Béatrice.

— L'heure est grave, Béa !

Une minute plus tard, Jimmy et Zeckie s'introduisirent à l'intérieur. Béatrice invita Kazuo à les suivre et, comme il hésitait, Jimmy ressortit et l'entraîna par le collet dans la maison.

— Qu'est-ce qui se passe ? demanda Kazuo.

Zeckie tentait désespérément de faire fonctionner son Syctid. Malheureusement, tout ce qu'elle obtenait c'étaient des messages d'erreur. L'émetteur fonctionnait, mais le processeur semblait défectueux. Le cœur de la jeune Gaïenne se serra, et la sueur perla sur son front. Elle était naufragée dans une dimension primitive, sans aucun moyen de retourner dans la sienne. Pourquoi n'était-elle pas rentrée sur Gaïa pendant qu'elle en était capable ?

Soudain, Jimmy l'attira dans le salon et la poussa sur le canapé.

— Parle ! Avec ce que j'ai vu, c'est la moindre des choses !

Le premier réflexe de Zeckie fut de chercher ses orbes amnémoniques pour effacer la mémoire de ces adolescents. La jeune Gaïenne tâta ses poches, mais ses orbes avaient disparu : ils avaient dû glisser lorsqu'elle avait sorti sa fiole de poudre en combattant les Mycoloïdes.

Zeckie pinça les lèvres. Les trois jeunes Terriens dardaient sur elle des yeux insistants. Elle ne pouvait mentir à Jimmy et, à présent, Béatrice et Kazuo étaient impliqués. Tant pis pour la discrétion, elle était démasquée !

Ainsi, elle commença son récit.

— Mon numéro d'identification est Zan 2259-826-1935-0-432 et je suis une agente interdimensionnelle en formation. J'ai été envoyée dans votre dimension dans le but de mettre fin à l'invasion d'une espèce nommée Mycoloïde. Ces êtres viennent de la dimension de Fungiia et s'infiltrent ici par une brèche située sur le territoire de votre école. Pour demeurer incognito, ils revêtent une forme humaine. Leur objectif est de fuir leur dimension inhospitalière.

Bouche bée, les autres se regardaient.

— C'est une blague ! articula Kazuo.

— Si vous êtes venus me raconter des histoires parce que je suis seule ce soir, je ne trouve pas ça drôle ! marmonna Béatrice les bras croisés.

— La brèche, c'est cette sorte de vortex

que j'ai vu dans la remise du terrain de jeux ? s'enquit Jimmy.

Zeckie hocha la tête.

— Pour l'instant, les Mycoloïdes ont enlevé mon mentor, le Saonu, ainsi que Marie Jolicœur. Je suspecte qu'ils les ont emmenés sur Fungiia. Ce dont je suis certaine, c'est que je dois les rejoindre, car je n'ai plus aucun moyen de retourner sur Gaïa, ma dimension.

— Une minute ! Qu'est-ce que ces histoires de dimensions ? interrogea Béatrice.

Zeckie plaça côte à côte les sous-verres trouvés sur la table basse devant elle.

— Nous vivons dans des espaces-temps distincts. Chaque dimension est une évolution différente de la même planète. Par exemple, dans certains endroits la faune n'a jamais vu le jour ; dans d'autres, les reptiles ont évolué pour devenir une race intelligente. Pour une raison encore inconnue, des liens naturels se tissent entre ces espaces et permettent parfois à certaines espèces de traverser d'une dimension à l'autre. Puisque, sur Gaïa, nous sommes rendus à des niveaux technologique et spirituel très avancés, nous avons inventé un moyen de voyager entre les dimensions. Nous nous sommes également octroyé le mandat de conserver l'équilibre entre les plans.

— C'est quoi, les Mycoloïdes ? demanda Jimmy.

— Sur Fungiia, la nature a donné naissance à des champignons intelligents. Au fil du temps, ils ont épuisé les ressources de leur planète qui s'est transformée en désert. Parce qu'ils ont un grand besoin d'eau et d'humidité pour survivre, ils savent que leur race court à sa perte. Lorsqu'ils ont trouvé une brèche qui menait vers la Terre, ils ont planifié un exode massif vers votre dimension afin de profiter de vos richesses. Mon rôle ici est de refermer l'aberration interdimensionnelle que représente la brèche...

— Ça va ! J'en ai assez entendu ! lâcha Kazuo en tournant les talons.

— Empêchez-le de partir ! Je n'ai pas envie que cette affaire s'ébruite ! ordonna Zeckie.

Jimmy le retint par le manteau. Avec un air de dédain, Kazuo se défit de sa poigne.

— C'est ridicule ! Nous n'avons aucune preuve de ce qu'elle avance. Et toi, Jimmy, tu es certain de ne pas avoir halluciné ?

Jimmy se contenta de grogner. Zeckie réfléchit un instant et tendit l'appareil à son poignet à Béatrice.

— Mon Syctid ne fonctionne plus comme il devrait, mais c'est mon seul objet provenant de Gaïa.

Béatrice examina l'appareil cybernétique les yeux ronds, effleurant du bout des doigts les touches aux symboles inconnus ainsi que les multiples écrans holographiques.

— Ce que tu racontes est difficile à croire. Pourtant, je n'ai jamais vu une machine pareille… Des cellules ont remplacé certaines composantes électroniques, c'est extraordinaire ! On dirait un bio-ordinateur, s'étonna-t-elle. Pourquoi « Syctid » ?

— Cet acronyme est une traduction dans votre langue pour « Système de communication et de transport interdimensionnel ».

Songeuse, Béatrice se frotta le menton.

— Je peux tenter de le réparer…

— Cet appareil a été conçu par les génies d'un monde qui a des milliers d'années d'avance technologique sur le vôtre. Je doute que tu arrives à autre chose que de le détraquer définitivement ! se moqua Zeckie.

— Tu as une meilleure idée ? Ou peut-être que tu préfères rester sur Terre ? la nargua Jimmy.

Sceptique, Zeckie finit par accepter. Béatrice monta à sa chambre et revint avec une pile. Elle relia des fils à chacune des électrodes. Elle approcha celles-ci et provoqua une petite décharge électrique.

— Si cet appareil est organique, ne devrais-tu pas l'opérer comme si c'était un être vivant ? suggéra Kazuo.

— C'est exactement de cette façon que je compte m'y prendre. Frankenstein a donné naissance à son monstre avec l'électricité, non ? Il s'agit de trouver le centre nerveux...

Intriguée malgré tout par le savoir-faire de ces Terriens, Zeckie indiqua le processeur à Béatrice. Celle-ci enfonça ses lunettes et, les paupières plissées, se pencha sur le gadget. Elle retint son souffle, et l'arc électrique se produisit. Une odeur de roussi monta, et une cloque noire enfla la paroi de la machine.

— Euh... si je réessayais ? bredouilla Béatrice.

— Tu ne l'as pas tué, quand même ? demanda Jimmy.

D'un geste brusque, Zeckie reprit son appareil et l'attacha à son bras.

— C'est ce que j'aurais dû attendre d'une bande de pithécanthropes comme vous !

À la stupéfaction de la jeune Gaïenne, un signal sonore résonna. Le Syctid palpita, et un hologramme représentant le symbole de

Gaïa se forma au-dessus de son poignet. Les touches scintillèrent : le dispositif était prêt à recevoir des consignes. Le visage rayonnant, Béatrice poussa un cri de joie, et Jimmy la félicita d'une tape sur l'épaule. Zeckie pianota un instant, médusée.

— Ça a marché ! Le générateur de portails n'est pas fonctionnel, mais le lecteur me donne des renseignements ! s'exclama-t-elle.

— Et qu'est-ce que ça dit ? interrogea Kazuo alors que l'appareil émettait des flashes.

Zeckie suivit les indications et fronça les sourcils.

— Le Syctid m'avertit qu'une entité mycoloïde est proche… Très proche !

Les yeux écarquillés, les quatre adolescents se dévisagèrent à tour de rôle.

— Nous sommes en sécurité dans la maison, non ? s'enquit Kazuo.

— Logiquement, oui… Pourtant, les Mycoloïdes me surprennent depuis mon arrivée dans cette dimension, alors je ne peux rien confirmer, admit Zeckie.

Elle leva son sabre devant elle.

— Et s'il était déjà ici ? demanda Jimmy.

Les autres se tournèrent vers lui, interrogateurs. Jimmy saisit Kazuo par le collet et l'examina avec un rictus mauvais.

— Si ces créatures savent se déguiser en humains, ça pourrait être toi ! siffla-t-il.

Sentant la tension monter, Béatrice se plaça entre les garçons.

— Voyons, Jimmy ! Nous connaissons Kazuo depuis trop longtemps pour que ce soit le cas ! Et au lieu de se disputer comme des enfants, il faudrait trouver une arme efficace avant que le Mycoloïde frappe à la porte !

— Non ! protesta Zeckie. J'ai un code à suivre. Je ne dois pas tuer ces êtres. Mon mandat ne consiste qu'à les renvoyer dans leur dimension et à leur couper l'accès à la Terre.

— Oublie ta morale à deux sous ! Tu en avais plein les bras, tantôt ! Tu l'as dit toi-même, ils sont plus forts que tu le croyais. Aux grands maux les grands remèdes ! déclara Jimmy.

— Regardez ! s'écria Kazuo.

Sous la porte d'entrée, une flaque bleue se répandait sur le plancher.

— C'est la même matière que nous avons observée sur les arbres ! Vite ! Partons ! les pressa Béatrice en indiquant la porte arrière.

Une fois dans la maison, la mystérieuse substance se déplaça rapidement. Lorsque les quatre jeunes se précipitèrent pour sortir, le champignon bleu se glissa près de la serrure. Jimmy tenta d'ouvrir une fenêtre, mais fut de nouveau devancé.

Effarés, ils se collèrent les uns aux autres et attendirent, les poings crispés et l'arme de Zeckie braquée. Une bulle de glu gonfla au milieu du parquet de la cuisine. Elle adopta une forme plus précise et sa couleur pâlit, passant du bleu au violet puis au rose. Sur cette peau où couraient des milliers de veines se définirent des membres et, à quelques endroits, des cheveux poussèrent.

Avec des exclamations de stupeur, les adolescents découvrirent devant eux une silhouette humaine accroupie. Luisant d'un film de liquide visqueux, celle-ci se redressa lentement.

— Je savais que je devais me méfier de toi ! grogna Zeckie, les jointures crispées sur son sabre.

Ahurie, Béatrice s'écria :

— David Dubois ?

12

David Dubois sourit, courtois.

— Bonsoir.

Zeckie ne perdit pas de temps et pointa son arme sur la gorge de la créature.

— Tu es chanceux que mon générateur de portails ne fonctionne pas, car tu serais dans ta dimension à l'heure qu'il est ! Je me doute cependant que tu as des choses à nous dire, sinon tu m'aurais déjà attaquée…

David garda son flegme.

— Tu as vu juste, Zeckie Zan. Et tu me dois des remerciements : c'est moi qui ai empêché Michaël Laforêt et sa bande de vous pourchasser !

— Pourquoi trahirais-tu tes acolytes ? interrogea Zeckie, sceptique.

— Parce que je ne suis pas un Mycoloïde semblable aux autres…

Médusés, les trois Terriens suivaient cette conversation invraisemblable. En l'espace de quelques minutes, ils venaient de basculer dans un monde surnaturel où tout semblait possible.

David poursuivit :

— Je suis un agent double de Fungiia. Lorsque la brèche vers la Terre a été découverte dans notre dimension, on m'a envoyé pour effectuer une surveillance et vérifier que les Mycoloïdes ne profitaient pas de la situation. Malgré le mauvais état de notre planète, il y a aussi des habitants qui tiennent à maintenir l'équilibre entre les plans, en accord avec les autorités de Gaïa.

La jeune Gaïenne fit volte-face. Non seulement cet être savait tout de son rôle dans cette dimension, mais il appuyait sa cause !

— Alors d'où viennent cette force et cette capacité à te transformer ? Tu es très différent de tes congénères, du moins ceux que je connais…

— Je suis d'une race plus avancée, les Mycorhizes, expliqua-t-il. Je peux me déplacer sur la surface des objets et imiter parfaitement l'apparence des êtres humains sans avoir recours à une peau synthétique comme les Mycoloïdes.

— Je ne comprends pas pourquoi on ne m'a pas informée de la présence d'alliés avant mon arrivée sur Terre, murmura Zeckie.

— J'ai le regret de t'informer que Gaïa est corrompue !

Zeckie ne pouvait le croire, même si cela expliquait bien des irrégularités dans sa mission.

— Est-ce toi qui nous as donné la frousse, à Jimmy et à moi, dans le bois l'autre jour ? le questionna Béatrice en se remettant de sa stupéfaction.

— Oui, admit à regret le Mycorhize. Vous étiez en lien étroit avec Zeckie Zan et, en vous épiant, je m'assurais que vous n'étiez pas de mauvais agents de Gaïa…

— Et tu dis que tu étais avec Zeckie et moi dans la remise du terrain de jeux ? demanda Jimmy.

— Encore une fois, je réponds par l'affirmative. Je voyage sous forme de spores, et vous n'avez donc pas perçu ma présence. Lorsque vous vous êtes enfuis, j'ai pu retenir Michaël. Hélas, il a réussi à déguerpir. Ce traître m'a blessé dans l'opération.

David leva son bras gauche, où la main n'était pas coupée, mais semblait atrophiée.

Toujours incrédule, Kazuo souffla :

— Ceci n'est donc pas ta véritable apparence…

David sourit. Il se pencha et se remit en

boule. Le sang se retira de ses veines et sa peau vira du rose au violet. Lorsqu'il se releva, il mesurait plus de deux mètres et son épiderme translucide laissait entrevoir un réseau complexe d'organes fluorescents. Ses gestes étaient fluides, et ses longs membres se terminaient chacun par quatre doigts. Il n'avait ni yeux, ni nez, ni bouche, qu'une sorte de petite trompe enroulée sous le menton.

Émerveillés par cette créature lumineuse et extraordinaire, les quatre adolescents restèrent un moment sans voix. Sa beauté était indescriptible et sa présence, apaisante.

Ils remarquèrent enfin que d'une lacération à son flanc gauche s'écoulait abondamment un liquide ressemblant à de l'or en fusion.

— Tu perds beaucoup de… sang ! Pouvons-nous t'aider ? s'enquit Béatrice.

— La nature nous a accordé plusieurs dons. Malheureusement, nous sommes très fragiles à ce genre de mutilation. Je vais devoir me retirer quelque temps sous terre, à l'humidité, pour me régénérer.

La créature n'émettait aucun son. Les jeunes gens se rendirent compte qu'elle communiquait avec eux par télépathie.

— Tout ceci est bien beau, mais, dans notre situation, que suggères-tu ? demanda

Zeckie. Je suis emprisonnée dans cette dimension, et mon mentor a disparu !

— Je suis ici pour t'avertir qu'il a été transporté de l'autre côté de la brèche.

— Pourquoi ?

— Rien ne se passe comme prévu dans le plan des Mycoloïdes depuis que la maladie rouge est apparue.

— La maladie rouge ? Tu veux dire la dermatose qui sert à marquer les spécimens mycoloïdes ?

— Oui. Nous, les Mycorhizes, en guérissons. Pour les autres, c'est devenu une grave épidémie. S'ils n'en meurent pas, ils en souffrent beaucoup. Ainsi, avec cette arme redoutable que vous avez développée pour les ralentir, ils ont vu en toi et ton mentor une menace à l'exécution de leur plan d'invasion terrestre.

— Es-tu certain que le Saonu est toujours fonctionnel ?

— Pour ne pas éveiller les soupçons de vos collègues de Gaïa, ceux-ci doivent vous croire vivants… dit David.

— Et ils en ont la confirmation grâce aux Syctids à nos poignets ! ajouta Zeckie. Mais si je dois aller chercher le Saonu sur Fungiia, je n'y arriverai jamais seule !

— Nous pouvons te donner un coup de main ! proposa Kazuo.

Zeckie examina les trois Terriens comme si elle venait juste de se rappeler leur présence. La lueur d'espoir qui brilla sur son visage fut vite remplacée par une moue fataliste.

— Je ne vois pas ce que vous feriez…

— C'est mieux que d'être en solo, non ? releva Béatrice.

— Vous n'êtes pas au courant des forces contre lesquelles vous vous opposez !

— Emmenez-en, des Mycoloïdes, je n'ai pas peur ! s'exclama Jimmy. C'est quand même notre dimension qu'on défend ! On va pas se laisser envahir sans lever le petit doigt !

— Il marque un point, Zeckie ! jugea David.

Zeckie leur tourna le dos. D'une part, cela l'irritait de s'en remettre à trois adolescents immatures issus d'un monde préhistorique pour sauver sa mission. D'autre part, elle connaissait les dangers qu'ils couraient et craignait qu'ils en subissent de lourdes conséquences. Elle détestait l'avouer, sauf qu'elle s'était attachée à ces individus depuis le début de son séjour.

Enfin, elle ne pouvait nier qu'ils avaient le droit de défendre leur dimension eux aussi.

— Avant tout, je veux m'assurer que vous êtes réellement prêts à affronter ce qui s'en vient. Vous n'êtes pas formés pour ce genre de situation et vous risquez de vous blesser, si ce n'est de mourir ! les avertit-elle, la mine sévère. Donnez-moi une bonne raison de vous entraîner dans cette histoire.

Zeckie tendit la paume vers le haut. Jimmy fut le premier à poser les doigts dans les siens.

— Je n'avais pas de rendez-vous ce soir !

Zeckie le fusilla des yeux.

— Sans blague, c'est ma seule chance de faire quelque chose de valable dans ma piètre vie. Si je n'y vais pas, je ne dormirai plus jamais en sachant que ces monstres sont parmi nous !

Zeckie hocha la tête, satisfaite. Kazuo hésita un instant et mit la main par-dessus celle de son ennemi juré. Il affirma sans le regarder :

— Lorsque mon père découvrira ma chambre vide, je suis mieux de ne pas remettre les pieds à la maison…

Finalement, ils se tournèrent vers Béatrice qui rougit. Elle inspira puis déclara :

— Pour la science ! Si je ne participe pas, il ne se passera pas une seule journée sans que je me demande ce qu'il y avait de l'autre côté…

Zeckie soupira.

— Je ne suis pas encore convaincue, mais puisque vous semblez l'être, au travail !

Les quatre adolescents et le Mycorhize s'accordèrent pour élaborer un plan.

— J'ignore combien de temps je pourrai vous aider avec cette blessure, émit David en pressant une serviette couverte de sang doré contre son ventre.

Béatrice lui tendit un linge propre, et Kazuo lut l'inventaire qu'il venait de dresser :

— Nous aurons besoin d'équipement, de vêtements de camouflage…

— J'ai ce qu'il faut en ce qui concerne les déguisements. Ayez confiance, lâcha Jimmy avec un sourire énigmatique.

— Même s'il n'est pas au point, mon robot nous aidera à explorer la brèche, proposa Béatrice.

Kazuo cocha sa liste.

— Il reste à découvrir l'arme qui viendra à bout des Mycoloïdes… Qu'est-ce que ça prend pour éloigner les champignons ?

— Un fongicide, répondit Zeckie.

— Où allons-nous dénicher un fongicide à cette heure-ci ? Les quincailleries sont fermées ! déplora Kazuo.

— Mon père est jardinier. Il est plutôt probio, mais je suis certaine qu'il a quelque chose dans la remise de la cour, suggéra Béatrice.

— Il y a peut-être du shampooing antipelliculaire chez nous, ajouta Kazuo.

— J'avais fabriqué une poudre qui marquait les individus, sauf que mon matériel a été saccagé, et je n'ai aucun moyen d'en reproduire, se désola Zeckie.

— Il y a aussi l'huile essentielle d'origan.

Surpris, ils pivotèrent vers Jimmy qui avait prononcé ces paroles.

— Comment sais-tu ça ? s'étonna Zeckie.

— Ah, parce que je ne suis pas un intello, ça veut dire que je ne connais rien ? Ma grand-mère est une sorte de guérisseuse et c'est ce qu'elle utilisait pour soigner le pied d'athlète, raconta-t-il.

Béatrice se précipita vers le garde-manger. Elle fouilla parmi les nombreuses bouteilles et sortit une longue fiole d'huile assaisonnée de branches d'origan.

— J'ai dû m'en taper dans un nombre

incalculable de mets… Je serai bien heureuse de m'en servir comme arme chimique !

— Il faut maintenant trouver comment vaporiser tous ces produits, et j'ai une bonne idée ! sourit Kazuo.

***

Pendant que ses coéquipiers l'attendaient, Kazuo escalada les branches du grand chêne. Il sauta sur la corniche et la longea à pas de loup. Au moment où il parvint à la lucarne qui donnait sur sa chambre, il glissa. Il se retint de peine et de misère au rebord de la fenêtre et, en tentant de remonter, son pied se prit dans la gouttière. Un vacarme de métal froissé retentit.

La sueur perlant à son front, Kazuo se jeta dans sa chambre après avoir lancé un regard paniqué en direction de ses compagnons qui attendaient en bas.

Une lampe s'alluma à l'étage.

— Je sais à quel point M. Miyabe est sévère ! chuchota Béatrice. S'il surprend Kazuo en flagrant délit, nous perdrons un joueur !

— Ce n'est pas une grosse perte ! rétorqua Jimmy.

— Si nous voulons atteindre nos objectifs

ce soir, je te signale que tout le monde est important ! répliqua Zeckie.

La porte avant s'ouvrit, et le père de Kazuo apparut en peignoir et en pantoufles. Il promena un regard suspicieux sur le terrain devant la maison et remarqua la gouttière qui pendait lamentablement. Il rougit de colère avant de retourner à l'intérieur.

— Ça y est ! Kazuo va être en punition pour les dix prochaines années ! gémit Béatrice.

Comme les grands yeux verts de Béatrice l'imploraient de trouver une solution, Jimmy soupira et décida d'agir. Dans son sac à dos, il récupéra le lunch qu'il n'avait pas mangé, puis retira le jus et la pomme du sac de papier brun. Il sortit des allumettes de sa poche.

— Tu vas m'en devoir une, Miyabe !

Jimmy courut jusqu'au porche, mit le feu au sac et pressa la sonnette avant de revenir se cacher. Lorsque M. Miyabe répondit et vit le paquet en flammes, il le piétina sans hésiter. Découvrant le contenu en purée, il lâcha un juron. Derrière la clôture, Jimmy étouffa un rire.

— Qu'y avait-il dans ce sac ? demanda Zeckie.

— Un sandwich à la banane et au beurre d'arachide. Ce n'est pas aussi bon que le truc classique, mais dans les circonstances…

— Sales petits voyous ! Je vous dénoncerai à la police ! hurla M. Miyabe avec un accent japonais quasi incompréhensible.

— Ce vieux schnock va sûrement se douter que c'est moi… J'espère que ça va donner quelque chose ! grommela Jimmy.

Avec un sourire content, Béatrice lui tapota l'épaule.

— Ce soir, on sauve la planète. Après, on réglera le reste !

***

En entendant son père vociférer à l'extérieur, Kazuo sut qu'il était sauf et ferma les yeux, soulagé. Il se dépêcha de prendre ce qu'il voulait au fond d'un tiroir, entre ses chaussettes, ses shorts et ses protège-tibias. Des pas lourds montèrent l'escalier, et Kazuo se lança sous les couvertures, en couvrant bien son manteau. Lorsque M. Miyabe ouvrit, le jeune homme plissa les paupières pour simuler la fatigue.

— Des jeunes ont fait brûler un sac sur le porche ! Je soupçonne ce vaurien de Jimmy

Desjardins. N'est-ce pas avec lui que tu t'es battu l'autre jour ?

— Oui, mais je…

— Rendors-toi. Je porterai plainte demain !

Kazuo attendit un moment que son père retourne au lit et refit le chemin sur le toit en regardant où il mettait les pieds. Il rejoignit les autres derrière la clôture.

— Est-ce que ça en valait vraiment la peine ? gronda Zeckie.

Kazuo sortit trois fusils à eau d'un sac à dos.

— Avec ceci, on va pouvoir asperger les Mycoloïdes !

— Génial ! En passant, tu devrais remercier Jimmy, car c'est lui qui a sauvé ta peau ! souligna Béatrice.

Kazuo adressa un sourire contrit à son éternel adversaire.

— C'est juste parce qu'on a une mission sur les bras ! riposta Jimmy. Maintenant, on va chez moi pour un dernier arrêt.

— Je ne sais pas si je me rendrai, murmura David qui avait repris sa forme humaine afin de passer inaperçu à l'extérieur.

À présent, il lui manquait le bras en entier. Il cachait ce handicap dans les vêtements que lui avait prêtés Béatrice. Hélas, il s'affaiblissait à chaque minute, et sa respiration était rauque.

— Tu veux qu'on te dépose quelque part ? proposa Kazuo.

— Non. Je suis recherché par les Mycoloïdes. Nul endroit n'est sûr…

— De plus, nous avons encore besoin de son aide, ajouta Zeckie.

La jeune Gaïenne et Kazuo le soutinrent, et le groupe parcourut les quelques pâtés de maisons qui les séparaient de la résidence de Jimmy.

Ils auraient pu y arriver sans embûches, mais ils croisèrent Nadia et deux de ses amies. Surprise, la jeune fille remarqua que Kazuo accompagnait le groupe.

— Ah, te voilà, toi ! Ton père m'a dit que tu étais au lit ! Que fabriques-tu avec ce débile ? persifla-t-elle en désignant Jimmy. Vous comptez former une nouvelle bande de nullards ?

Mal à l'aise, Kazuo jeta un regard en direction de Jimmy qui serrait la mâchoire avec colère.

— Laisse-nous tranquilles, Nadia ! lança Béatrice.

— Oh ! que j'ai peur ! La petite lionne rugit !

Encouragée par les gloussements de ses copines, Nadia poussa Béatrice qui tomba à la renverse, en bas du trottoir. Zeckie perdit patience et tira son sabre de son tube de plastique. Elle le pointa sous le nez de l'arrogante jeune fille.

— Disparais de ma vue, sinon je vais coiffer ta jolie tête vide de façon à ce que tu n'oses plus remettre les pieds dehors, compris ?

Nadia glapit de surprise et prit ses jambes à son cou, suivie de ses amies.

— Et vlan dans les dents, espèce de dinde ! rigola Béatrice.

Jimmy fusilla Kazuo des yeux.

— C'est toi, sa prochaine victime ? Maintenant, je sais qui jouait dans mes plates-bandes… Tu mériterais que je te casse la gueule !

— Nous avons assez perdu de temps ! protesta Zeckie afin de calmer les deux garçons.

Quelques mètres plus loin, Jimmy fit entrer le groupe dans son immense demeure, sans se préoccuper de leurs murmures ébahis. Pour éviter de réveiller ses parents, il les invita vite à pénétrer dans sa chambre, au sous-sol. Cet antre était à l'inverse du reste de la maison : sombre, modeste et en désordre.

Béatrice parcourut des yeux la centaine de dessins qui couvraient les murs. À l'école, Jimmy aimait passer pour un vaurien, mais il suffisait de jeter un coup d'œil à ses illustrations afin de mesurer son talent. La majorité des images représentaient des monstres et des bêtes féroces. Pourtant, Béatrice repéra un portrait d'elle, mélancolique et pensive. Si elle n'était pas la seule étudiante à être dessinée, elle rougit néanmoins, flattée.

— Alors, qu'avais-tu en tête pour les déguisements ? demanda Zeckie en déposant David sur le lit avec l'aide de Kazuo.

Sans un mot, Jimmy sortit un trousseau de clés de sa poche et déverrouilla un cadenas. Derrière la cloison se cachait une petite pièce au plafond bas.

Dans cet atelier de fortune, des masques de monstres en latex, tous plus effrayants les uns que les autres, séchaient sur des moules en plâtre.

— Si vous me donnez un peu de temps, je peux transformer une ou deux personnes en Mycoloïdes crédibles, lança-t-il. Ces déguisements ne seront pas parfaits, mais ils seront efficaces...

Remise de son étonnement, Béatrice s'exclama :

— Ah ! je comprends, maintenant ! C'est ça que tu vends aux élèves !

Jimmy esquissa un sourire en coin.

— Et dire que tu avais imaginé le pire… Avec le prix qui va être remis pour le meilleur costume à la fête d'Halloween, il y en a qui sont prêts à dépenser un peu de blé !

Il ramassa une tablette de papier et un crayon, et se plaça à côté de David qui grelottait.

— Mon gars… euh… Est-ce que tu serais capable d'imiter un Mycoloïde pour que je puisse dresser un portrait ?

David inspira et son crâne se gonfla. Sa peau devint iridescente, et sous son menton poussa une trompe au bout dentelé comme une scie.

Jimmy se plongea dans son travail. En quelques minutes, le Mycoloïde prit vie sur sa feuille, plus vrai que nature. Dès que le dessin fut terminé, David retrouva sa forme originale et s'étendit, désormais trop faible pour se transformer en humain.

Jimmy s'enferma ensuite dans son atelier et entreprit de modeler des masques à l'aide de latex et de peinture. Il garda la porte fermée. Une heure passa, puis une autre.

Béatrice marchait de long en large, ne

sachant que faire de ses dix doigts. Jimmy n'avait pas sorti le nez de sa cachette, et ils avaient déjà eu le temps de remplir les fusils à eau ainsi que les fioles de secours avec un mélange de produits antifongiques.

Béatrice jeta un coup d'œil aux autres. Cette soirée haute en couleur avait eu pour conséquence de réunir un groupe hétéroclite : Kazuo, avec qui elle avait plus parlé au cours de la dernière heure qu'en sept ans de voisinage ; David, qu'elle ne connaissait pas auparavant et qui était une créature tout droit sortie d'un film de science-fiction ; et Zeckie, son amie, qu'elle considérait à présent comme une étrangère. Sans oublier Jimmy, qui se révélait un des membres les plus motivés de l'équipe.

Finalement, ce dernier émergea de sa tanière. La ressemblance était frappante entre les monstres originaux et les deux cagoules caoutchoutées.

— Je pense que ça ira... Pour ce qui est du corps, portez-vous des vêtements sur votre planète ? demanda-t-il à David.

Malgré sa souffrance, celui-ci rit doucement.

— Non, car nous vivons dans des souterrains. Par contre, nous utilisons des tissages végétaux pour nous protéger des intempéries de la surface. Vous pouvez vous servir de draps.

— Il n'y a qu'à déterminer qui enfilera le costume et accompagnera Zeckie dans le sauvetage de son mentor, dit Béatrice.

Les trois Terriens s'observèrent à tour de rôle. Kazuo leva la main.

— Je peux le faire. Je cours vite et je suis en forme.

Jimmy roula des yeux. Quant à Zeckie, elle approuva.

— Bien ! Je ne sais pas ce qui nous attend de l'autre côté et j'aurai besoin de quelqu'un qui a du nerf ! Maintenant que tout est en place, nous devons retourner à la brèche !

Ils dissimulèrent l'imposante carcasse du Mycorhize sous des morceaux d'étoffe et l'aidèrent à grimper au rez-de-chaussée. Il marchait à pas lents et demeurait recroquevillé, terrassé par la douleur.

Au moment où ils franchissaient la porte du hall, une voix forte les figea sur place.

— Où est-ce que vous allez ? Il est une heure !

Ils aperçurent le père de Jimmy qui descendait l'escalier avec une expression sévère.

— Qu'est-ce que cette réunion clandestine, James ? Et lui, avec le masque, c'est encore une de tes idées de mauvais tour ? demanda le père en désignant David qui tentait de cacher son visage de Mycorhize derrière le tissu qui le couvrait.

Jimmy allait cracher une réplique cinglante quand Kazuo répondit :

— Nous sommes désolés, monsieur Desjardins. Nous sommes du comité de la fête d'Halloween et nous avons du retard sur notre programme, car il ne reste qu'une semaine avant la danse. Jimmy a accepté de nous aider pour les décors et mettait au point le déguisement de notre ami David.

Le Mycorhize leva le tentacule en signe de salut.

Le père de Jimmy haussa les sourcils, étonné que son fils côtoie ces étudiants. Béatrice était une bonne fille, studieuse et disciplinée, et Kazuo faisait parler de lui dans le journal local comme du meilleur joueur de soccer de la ville. Puisqu'il voulait encourager ces nouvelles fréquentations, M. Desjardins hocha la tête.

— Bien. Mais rentre vite, Jimmy.

Le groupe soupira de soulagement et se dirigea vers l'extérieur.

— Je n'en reviens pas, que mon père ait gobé tes salades ! chuchota Jimmy à Kazuo.

— Je t'en devais une !

— Avant que vous sortiez, les jeunes, dites à vos amis de baisser le ton ! reprit M. Desjardins du haut de l'escalier.

— Quels amis ? s'enquit Jimmy.

Les adolescents tournèrent les yeux vers la rue. Dehors, une vingtaine de silhouettes se découpaient sur la nuit.

13

— Par ici ! chuchota Jimmy en désignant, au fond du terrain, un trou entre la clôture et la haie de cèdres.

— Où ce passage mène-t-il ? s'inquiéta Kazuo.

— Ailleurs que dans la gueule du loup ! Vite ! dit Béatrice en les bousculant dans l'ouverture.

Le petit groupe se retrouva dans un boisé clairsemé et, entre les branches, pouvait distinguer les lampadaires d'un parc. Zeckie tira son sabre du tube et avança en éclaireur vers l'orée. David vacillait, et ils se mirent à trois pour l'aider à avancer.

— Laissez-moi ici.

— Est-ce que tu peux encore te transformer ? demanda Kazuo.

— Non. Ça solliciterait mes dernières forces…

— Si tes copains te repèrent, ils te feront la peau, c'est certain ! On va te trouver un endroit où tu seras en sécurité ! assura Jimmy.

— Après, tu retourneras à la terre pour te régénérer, promit Béatrice.

— J'ai déjà l'impression d'avoir atteint mon point de non-retour...

— Chut ! ordonna Zeckie.

Zeckie indiqua le chemin à prendre de la pointe de son arme, sommant ses compagnons de se dépêcher.

À cette heure, le parc était sombre et silencieux. Zeckie demeurait sur le qui-vive. Son souffle s'accéléra. Les autres perçurent son agitation et devinrent nerveux.

Mû par une force invisible, le tourniquet continuait de pivoter. Plus loin, les balançoires oscillaient dans la brise.

Le Syctid vibra intensément au poignet de la jeune Gaïenne qui tenta de repousser ses amis vers le bois.

— Nous ne sommes pas seuls !

Derrière la glissoire, Michaël Laforêt apparut, un sourire ironique sur les lèvres. Son costume était endommagé, et il semblait avoir de la difficulté à cacher sa vraie nature. Son visage était couvert de pustules rouges, et son cou était marqué d'une balafre sanglante. De la manche gauche de son anorak pendait mollement un tentacule.

Le petit groupe poussa une exclamation d'horreur. Ils déguerpirent dans la direction opposée. Hélas, ils étaient entourés de Mycoloïdes.

— Comme c'est touchant ! Une brochette d'ennemis se sont réunis pour sauver la planète ! se moqua-t-il.

Une cinquantaine de Mycoloïdes déguisés avançaient vers eux. À la grande frayeur des trois Terriens, ces créatures avaient des traits familiers, certaines ressemblaient même à des camarades de classe.

— Vous ne pouvez pas nous tuer ! Les… les autorités découvriront vite que nous avons disparu ! Elles… elles vous arrêteront ! les avertit Béatrice.

— Nous sommes prévoyants… Nous allons nous servir de vos apparences pour nous forger des identités et nous infiltrer dans la communauté, déclara Michaël.

Béatrice ne sut que répondre. L'idée qu'une créature revête sa peau l'effraya. Jimmy posa la main sur son épaule. D'un signe du menton, il la força à baisser les yeux. Elle remarqua le fusil à eau qu'elle avait glissé dans sa poche un peu plus tôt. C'était le moment ou jamais de tester leur arme chimique !

— Maintenant ! cria Kazuo.

Les trois Terriens sortirent leurs fusils et aspergèrent leurs assaillants d'antifongique. Les Mycoloïdes hurlèrent de douleur, et leur peau fondit comme sous l'effet d'un puissant acide. Zeckie en profita pour débarrasser quelques-uns des assaillants de leurs masques d'humains. Malheureusement, les réserves de potion miracle étaient limitées, et les agresseurs tenaient encore debout. Paniquée, Béatrice entendit Jimmy pousser un juron et Kazuo marmonner :

— On est faits comme des rats !

Zeckie fauchait à coups de sabre, furieuse du déroulement de sa première mission.

Soudain, avec l'énergie du désespoir, David rejeta le drap de ses épaules et déploya son grand corps.

— Je m'occupe d'eux ! Partez ! émit-il par télépathie à l'intention de ses compagnons.

Suivant cette consigne, Zeckie empoigna Kazuo et Béatrice par le collet, et les entraîna à l'extérieur du cercle de créatures. Jimmy resta derrière, s'entêtant à vouloir sauver David, mais ce dernier le projeta sur le sol.

La chair de David se divisa alors en millions de particules. Une nuée de spores violacées se rua sur les Mycoloïdes pour les enfourner dans une panse immatérielle. Le terrible gémissement poussé par les Mycoloïdes força Jimmy à détaler à toutes jambes.

Le souffle court, les quatre adolescents se hâtèrent en direction de l'école. Ils atteignirent la remise du terrain de jeux, où ils découvrirent que la porte derrière laquelle se trouvait la brèche avait déjà été condamnée.

— On se croirait dans le film *L'invasion des profanateurs** ! souffla Jimmy en regardant par-dessus son épaule.

— Et comment ça se termine ? s'enquit Kazuo.

— Mal… Très mal !

Zeckie ouvrit. La lumière bleue produite par le tourbillon du portail fit ciller ses amis.

— Il faut vraiment se jeter là-dedans ? s'inquiéta Béatrice en protégeant son visage de son avant-bras.

— Oui ! N'oubliez pas que c'est vous qui avez offert de m'aider !

Avant que Béatrice puisse répondre, une masse tomba du toit du bâtiment et la cloua au sol. Les tentacules de Michaël Laforêt la saisirent et lui cognèrent la tête sur le plancher de béton. Jimmy et Kazuo lancèrent le contenu

---

* Film d'horreur porté plusieurs fois à l'écran, d'après un roman de Jack Finney.

de leurs fusils au visage du Mycoloïde. Malheureusement, le monstre n'était pas seul, et les deux jeunes hommes furent vite immobilisés par ses acolytes.

Étourdie, Béatrice profita de la distraction de son agresseur pour lui envoyer plusieurs coups de pied au ventre. Elle se dégagea de son emprise en lui griffant la tête et courut se réfugier dans un coin de la pièce. Lorsque le Mycoloïde essaya d'agripper sa cheville, Béatrice tâta le sol du bout des doigts. Sa main s'arrêta sur une petite fiole rouge. Elle allait lui jeter la bouteille de poudre cramoisie quand, à son grand étonnement, le visage du Mycoloïde vira au jaune.

D'un mouvement preste, Michaël saisit la jeune fille et, sans un regard en arrière, bondit dans le portail. Le cri d'effroi de Béatrice résonna longuement dans l'ouragan qui remuait la pièce.

Alarmé, Jimmy assena un violent coup de poing au Mycoloïde devant lui.

— Béa !

Sans réfléchir, le jeune homme plongea à son tour dans la lumière.

Le dernier Mycoloïde repoussa brusquement Kazuo contre le mur et saisit Zeckie à la gorge, soulevant la jeune fille du sol.

— C'est terminé, Zeckie Zan. Il n'y a plus personne pour t'aider.

La main tremblante, la jeune Gaïenne essaya de se défaire de la poigne de la créature. Sa trachée était écrasée, elle manquait d'air et versa quelques larmes malgré elle. Elle ne pouvait articuler aucune parole. Même ses pieds qui battaient l'air n'atteignaient pas son assaillant.

« Non ! Non… C'est impossible ! » Elle refusait de s'avouer vaincue. Hélas, aussi forte et entraînée qu'elle était, elle n'en demeurait pas moins sensible. À cet instant, elle crut avoir atteint un cul-de-sac. Des années à se préparer à des situations d'urgences qui s'achevaient ainsi. Elle ferma les paupières sur ses iris gris, et sa main flasque abandonna son précieux sabre, le seul objet de valeur qui lui ait jamais appartenu.

Partie 2
Fungiia

14

Marie Jolicœur tournait en rond dans sa cellule cylindrique : une sorte d'éprouvette géante. Durant les quatre longues heures qu'elle venait d'y passer, elle avait appris par cœur les symboles gravés sur le sol et parcouru du bout des doigts les parois de verre afin de repérer une issue. On lui avait aussi fixé des bracelets aimantés aux poignets et aux chevilles, probablement pour l'empêcher de s'évader.

De sa cellule, elle voyait défiler des êtres monstrueux à peau luisante et aux appendices démesurés. Même s'ils n'avaient ni yeux, ni nez, ni bouche, ils semblaient discuter sans émettre aucun son. D'ailleurs, depuis son arrivée, elle avait été frappée par le silence lourd qui régnait ici.

L'enseignante tourna le regard vers la prison à côté de la sienne. Saonu Zan demeurait inconscient, les bras fixés au-dessus de la tête par des menottes métalliques. Du sang séché maculait un pan de sa chemise à carreaux. Il était blessé.

Marie devait avouer que, pour un premier rendez-vous, c'était plutôt inusité. Elle s'était rendue chez lui dans l'intention de l'inviter à aller voir un film de science-fiction et, soudain, elle avait traversé de l'autre côté de l'écran… Voici qu'elle se retrouvait captive dans un monde extraterrestre !

Tout s'était déroulé si vite qu'elle ne comprenait toujours pas ce qui était arrivé. Dès que Michaël Laforêt et sa bande étaient apparus, Saonu l'avait attirée à l'intérieur de sa maison. Pourtant, il s'agissait d'élèves sans histoire, discrets et réservés. Qu'est-ce qui les avait poussés à attaquer de cette façon ?

Le violent combat qui s'était ensuivi l'avait complètement étourdie. La seule chose dont elle se souvenait était un gouffre de lumière bleue qui l'avait happée. Ensuite, elle s'était réveillée ici, dans cette cage de verre.

Une délégation de bêtes à tentacules se présenta devant Marie qui cogna la vitre du poing.

— Laissez-moi sortir ! cria-t-elle.

Malheureusement, les parois de la cellule semblaient réverbérer le son sans le laisser filtrer à l'extérieur.

Une douzaine de créatures se tenaient devant elle. D'un membre flasque, l'une d'elles désigna quelque chose aux autres. Marie suivit son mouvement, et ses yeux se posèrent sur ce qui ressemblait à un costume accroché à une patère, une peau sans chair ni os pour la tendre. Horrifiée, elle remarqua que le visage de ce déguisement portait exactement ses traits. Ces monstres avaient conçu sa poupée jumelle ! Qu'allaient-ils en faire ?

Avant qu'elle puisse trouver une réponse, les aimants à ses poignets furent attirés vers un cercle de métal en haut de sa prison. Marie se retrouva immobilisée, tandis que la cloison vitrée autour d'elle s'écartait. Elle tenta de se débattre et de hurler, ce qui n'empêcha pas les créatures d'approcher.

Effrayée, elle vit un des monstres dérouler une grande trompe. L'extrémité dentelée de cette protubérance s'agrippa à la nuque de Marie et se fixa près de son cervelet. Elle lutta contre la brume qui envahissait sa tête, puis tout devint noir.

***

Zeckie roula sur le sol, libérée de l'emprise du monstre qui l'étranglait. Étonnée, elle ouvrit les yeux. Kazuo était penché sur elle, couvert de sang bleu, son sabre entre les mains. Il paraissait bouleversé.

— Désolé pour ton code de conduite, mais ce Mycoloïde allait t'étouffer…

Piquée dans son orgueil d'avoir eu la vie sauve grâce à un Terrien, Zeckie se remit sur pied.

— Euh… merci, bredouilla-t-elle. Maintenant, il faut traverser de l'autre côté. Es-tu prêt ?

Kazuo inspira profondément en lui tendant la main.

— Oui.

Zeckie esquissa un sourire complice à son ami. Puis, d'un élan, elle l'entraîna dans le vortex.

15

Recraché par le tourbillon lumineux, Jimmy fut projeté tête première sur le sol sablonneux. La bouche pleine de sable, il essaya de se relever. Un vertige le força à s'asseoir. L'air lourd, l'odeur étrange de moisissure et un terrible mal de tête lui donnèrent un haut-le-cœur. Il vomit jusqu'à ce qu'il puisse reprendre ses esprits.

Jimmy semblait avoir atterri dans une grotte humide dont les parois luisaient d'un reflet verdâtre. Un cri étouffé lui rappela que Béatrice avait été transportée ici avant lui.

Avec plus d'imprudence que de courage, il s'éloigna du vortex, arpentant l'étrange caverne aux murs iridescents. Une nouvelle plainte le fit bondir en avant.

Il trouva Béatrice au tournant d'une stalagmite. Le Mycoloïde tentait de ravir la petite fiole rouge à la jeune fille. Animée d'une force surprenante, elle lui assena un coup de coude sur la gorge et l'aspergea du contenu de son fusil à eau.

— Bois ça, Michaël Laforêt !

Lorsque le monstre tomba enfin, inconscient, Béatrice déguerpit et se heurta de plein fouet à Jimmy. Une fois remise de sa stupeur, elle se jeta dans ses bras.

— Ça va, Béa ? Tu n'as rien ?

Béatrice se retira vite de l'étreinte, montrant ses mains qui tremblaient.

— Ça… ça va. J… J'ai failli y passer ! Trois autres de ces monstres gardaient le portail de ce côté. Q… Quand ils ont vu le piètre état de Michaël, ils se sont enfuis !

Elle marqua une pause pour se ressaisir, puis soupira :

— Nous n'aurions pas dû suivre Zeckie. Ce n'est pas un jeu vidéo ou un film, on n'a aucune garantie de s'en sortir vivants ! Les Mycoloïdes vont peut-être revenir avec une armée, et nous ne sommes que…

À cet instant, il y eut un éclair aveuglant.

Zeckie traversa la brèche et retomba sur ses pieds avec la souplesse d'un félin. Kazuo la suivit et subit le même traitement que Jimmy, culbutant dans un amas de poussière. Il se redressa en vacillant, tentant d'expectorer ce qu'il avait avalé. Béatrice l'aida à se lever, et Jimmy lui donna quelques fortes claques dans le dos.

— OK ! C'est bon ! toussota Kazuo.

— Il n'y a pas de quoi ! dit Jimmy, coquin.

D'un pas prudent, Zeckie explora la caverne, inspectant les moindres recoins, son arme pointée devant elle.

— Les trois Mycoloïdes qui faisaient le guet sont partis par là, je crois… l'informa Béatrice, la voix chevrotante.

La jeune Gaïenne hocha la tête, l'air grave. Avant qu'elle pose une nouvelle question, le Syctid à son bras palpita et lança des flashes. Le groupe d'adolescents se rappela que cela précédait souvent les assauts. Ils se collèrent les uns aux autres, jetant des coups d'œil craintifs.

Soudain, quatre silhouettes floues se présentèrent dans un des couloirs menant à la grotte. Zeckie crispa les poings sur le pommeau de son sabre et se mit en position d'attaque.

Dans cet environnement qui était le leur, les Mycoloïdes patinaient sur les parois, se déplaçant tels des poissons dans l'eau.

Malgré les exclamations stupéfaites de ses amis, Zeckie ne fut pas impressionnée par ces monstres dont la peau luisante se confondait avec les murs de roc. Ici, les

Mycoloïdes étaient en pleine possession de leurs moyens.

C'est à ce moment que les entraînements intensifs du Saonu se révélèrent le plus utiles à Zeckie. Son mentor lui avait enseigné à visualiser son aire de combat, même les yeux fermés ; si elle ne pouvait voir ses ennemis, elle avait la capacité de les sentir et d'entendre leurs moindres gestes.

Zeckie déploya les bras et mania son sabre avec la grâce et la nonchalance d'une ballerine. Seul un minuscule pli entre les sourcils témoignait de sa profonde concentration.

Les Mycoloïdes se ruèrent sur la jeune Gaïenne, mais celle-ci s'élança au-dessus de la mêlée, atterrissant sans perdre pied. Les coups avaient beau voler autour d'elle, Zeckie calculait avec précision chacune de ses actions.

Dès qu'elle adopta le mode offensif, tout déboula. Elle trancha le tentacule de l'adversaire devant elle et, du même mouvement, elle en atteignit un autre au thorax. Le Mycoloïde à sa droite s'effondra, blessé au bras, et le dernier céda, le cou balafré. Cette danse hypnotique ne dura que quelques minutes, et la jeune fille termina la bataille avec un bref salut, debout au milieu des corps étendus.

À peine essoufflée, elle s'essuya le front et releva la tête. Bouche bée, les trois Terriens la fixaient avec un air désemparé, dépassés par les événements.

Ils commençaient à comprendre pourquoi Zeckie avait hésité avant d'accepter leur aide. Il était clair qu'ils n'étaient pas à la hauteur de ce conflit interdimensionnel. La seule chose qu'ils risquaient de lui apporter, c'étaient des ennuis…

— Si vous voulez reculer, il est encore temps. Mais ne croyez pas que l'invasion cessera d'elle-même ! grommela Zeckie.

Kazuo, Jimmy et Béatrice se regardèrent. Leurs vies simples et douillettes étaient loin. Pourtant, ils en savaient trop pour ignorer cette mission.

— Je ne serai conciliante avec personne ! Rien ne doit nous ralentir, surtout pas votre incertitude ! Compris ? Maintenant, trouvons une sortie à cette caverne avant que d'autres Mycoloïdes viennent en renfort !

— P… pourquoi ne pas suivre leur trace pour atteindre leur repaire ? risqua Kazuo.

— Cet endroit est trop achalandé. Nous devons d'abord élaborer une stratégie d'infiltration. Il serait plus avisé de rejoindre leur cité par l'extérieur.

Les trois Terriens et Zeckie se mirent donc en quête d'un passage, évitant le corridor qu'avaient emprunté les monstres. Ils examinèrent les murs et les plafonds accidentés jusqu'à ce que Béatrice découvre, entre les stalactites, une cheminée naturelle de laquelle s'écoulait un filet de sable roux. Malheureusement, elle était trop petite pour atteindre l'ouverture.

— Ici ! Il y a un trou !

Zeckie inspecta la cavité et se hissa à l'intérieur. Le couloir exigu montait de façon presque verticale, et la jeune Gaïenne s'y éleva, distinguant la lumière blafarde qui filtrait d'en haut. Elle s'agrippa aux parois sédimentées jusqu'à ce qu'elle parvienne à la surface et s'extirpa du souterrain.

Une fois dehors, la jeune Gaïenne scruta l'horizon, la main au-dessus des yeux pour se protéger des particules en suspension.

Le paysage était tel qu'elle l'avait imaginé : rude et désertique. Quelques pics rocheux émergeaient d'un océan de sable orange, sculpté de dunes ridées par des tourbillons de vent sec. Les seules traces de verdure qui subsistaient couraient à quelques rares endroits sur le sol. Le ciel, lui, était couvert d'un épais nuage de poussière qui lui donnait un reflet sale, de la couleur de la rouille.

Zeckie se pencha au-dessus de l'aven et somma les autres de monter.

— La super agente du futur pourrait au moins nous donner un coup de main ! grogna Jimmy.

— Je n'ai pas l'impression qu'ils accordent beaucoup de valeur au travail d'équipe dans sa « dimension », rétorqua Kazuo.

Jimmy fit la courte échelle à Kazuo qui grimpa dans la cavité. S'appuyant contre les parois, il tendit ensuite la main à Béatrice qui monta en escaladant l'épaule de Jimmy. Ce dernier perdit l'équilibre, la laissant suspendue dans le vide.

— Jimmy ! hurla-t-elle.

— Le Mycoloïde... Il est réveillé ! répondit-il d'une voix étranglée.

Paniquée, Béatrice sentit quelque chose s'enrouler autour de sa cheville. Kazuo saisit ses doigts et, de peine et de misère, la tira dans la cheminée. Tiraillée entre le Mycoloïde et Kazuo, Béatrice glissa en criant. Elle allait céder, quand la poche de son anorak laissa échapper une fiole de poudre cramoisie. Le flacon tomba avec un tintement et roula aux pieds du monstre. La peau du Mycoloïde alarmé vira au jaune, et il disparut.

Jimmy se releva et poussa Béatrice dans l'aven.

— Décampons !

Il ramassa la petite bouteille qui avait effrayé le Mycoloïde et, d'un saut, monta à son tour.

Lorsqu'ils émergèrent à la surface, les trois Terriens fixèrent avec désarroi le paysage de Fungiia. Si, un peu plus tôt dans la soirée, Jimmy avait souhaité voyager sur une autre planète, son vœu était exaucé. À cet instant, il se serait cru sur Mars.

Ce sol épuisé, dépouillé de la totalité de ses ressources, était pratiquement mort. Même son sable paraissait malsain, souillé. Et le ciel lourd, envahi d'un smog qui faisait suffoquer, semblait menaçant.

Remis de son trouble, Jimmy agrippa Zeckie par la manche.

— Hé ! Miss Samouraï ! Nous aussi, on a des requêtes si tu veux qu'on t'aide !

La jeune Gaïenne se dégagea.

— Je n'ai pas de leçon à recevoir de vous ! Secouez-vous et suivez-moi ! Je ne jouerai pas les gardiennes d'enfants si vous ne maintenez pas la cadence !

— Zeckie ! Nous souhaitons être le plus utiles possible ! Mais il faut que tu nous parles, que tu nous dises ce que tu penses… expliqua Béatrice.

— Même si ce n'est pas évident pour toi, le travail en groupe est souvent plus efficace. Crois-moi, je suis bien placé pour le savoir ! soutint Kazuo. Si tu fais cavalier seul, c'est ton choix. D'un autre côté, tu ne te serais pas rendue jusqu'ici sans nous.

Zeckie leur tourna le dos, irritée. Elle tentait désespérément de mener cette mission comme tout agent gaïen digne de ce nom. Elle devait être d'une efficacité exemplaire et planifier ses actions au mieux de ses connaissances. Et elle devait réussir : la vie de bon nombre de gens dépendait d'elle !

Alors comment espérer déjouer les Mycoloïdes si, à chaque bobo et éraflure, ces Terriens traînaient de la patte ? Si elle désirait sauver la situation, elle devait agir avec intransigeance !

Pourtant, ces damnés Terriens marquaient un point. Malgré leurs caractères diamétralement opposés, ils étaient prêts à oublier leurs différends pour s'entraider. Elle ravala son orgueil et hocha la tête à contrecœur.

— J'ai compris ! Mais je dirige toujours les opérations !

Ils se mirent donc en marche, à la recherche

de l'entrée principale menant au royaume souterrain des Mycoloïdes. Comme le leur avait dit Zeckie, puisque la surface était sèche et infertile, tous les spécimens survivants s'étaient adaptés aux entrailles du sol afin de profiter du peu d'humidité qui subsistait.

D'après les lectures que la Gaïenne enregistrait sur son Syctid, l'accès n'était pas loin.

L'anxiété peinte sur leurs visages, les trois Terriens suivaient docilement Zeckie. Même Jimmy, qui affichait d'habitude une façade imperturbable, jetait des regards inquiets derrière lui.

Au bout de quelques mètres, Zeckie fut prévenue par un bip. Elle s'arrêta pour pianoter sur les touches du Syctid, reçut des renseignements et annonça :

— Nous sommes maintenant au-dessus de la cité. Il n'y aura plus moyen de retourner en arrière à partir d'ici…

16

Au centre d'une formation rocheuse disposée en demi-cercle, la jeune Gaïenne s'accroupit et posa la paume de sa main gauche dans le sable. À ce contact, son Syctid projeta une carte holographique devant elle. Ses compagnons s'approchèrent, fascinés.

Le plan traçait, en relief, les contours d'une énorme galerie parsemée de colonnes et d'édifices, et entourée d'une rivière.

— Voici une carte de ce qui est sous nos pieds. Ce point représente le signal provenant du Syctid du Saonu et indique l'endroit où il est tenu captif. Le passage principal vers la cité doit se situer sous la butte là-bas, estima-t-elle en désignant un amas rocheux à deux cents mètres. Pour préparer le terrain, empruntons les cheminées d'aération tout autour. Béatrice, tu m'avais assurée que tu possédais un moyen de surveillance efficace. Eh bien ! le moment est venu de le mettre à l'épreuve !

Béatrice fouilla dans son sac et en sortit le robot en forme d'insecte auquel elle travaillait depuis des mois. Cette blatte, munie d'une caméra vidéo, avait été conçue pour fouiller les décombres. Pourtant, Béatrice ne s'était jamais attendue à ce que son invention exerce réellement ses fonctions ; elle croyait, au mieux, qu'elle serait un jour présentée dans une exposition scientifique et qu'elle exécuterait quelques tours habiles pour épater la galerie. Vu la situation, cependant, il n'y avait pas de place pour les défaillances, car ce n'était pas un ridicule prix qui était en jeu…

Béatrice arpenta la butte afin de repérer une des cheminées indiquées par Zeckie et déposa son robot dans l'ouverture.

— Cette entrée descend en douceur.

Béatrice ouvrit son portable, et une image de l'intérieur de l'aven apparut. Celle-ci était saccadée et entrecoupée d'interférences. À l'aide d'une manette, elle guida la blatte dans la cité des Mycoloïdes.

Devant l'écran de l'ordinateur, les quatre compagnons suivaient avec impatience le robot. Jimmy posa le menton sur l'épaule de Béatrice.

— Tu ne peux pas aller plus vite ? À ce

rythme-là, les Mycoloïdes auront le temps d'envahir la Terre trois fois !

— Il faut que je sois prudente ! Je ne voudrais pas que mon robot déboule… Une mauvaise chute lui serait fatale !

Avec un claquement de langue, le rebelle lui arracha la manette.

— Attention ! Ce n'est pas un jouet ! le prévint Béatrice.

— On n'a pas le luxe de prendre des précautions !

Exaspérée, Zeckie grogna pour leur signifier de cesser leurs querelles. Anxieuse, Béatrice observait la petite bête mécanique sillonner le couloir sombre. Celle-ci déboucha sur un embranchement.

— Va par là, c'est plus clair, suggéra Kazuo en désignant le tunnel de droite.

La blatte se remit en marche.

— Quand on reviendra sur Terre, je veux une de ces bestioles ! ricana Jimmy en maniant avec adresse le levier.

— Tu t'en servirais pour dénicher les réponses des examens dans le local des profs… Et tu encaisserais des profits avec tes trouvailles ! railla Béatrice.

— Bonne idée ! Tu es plus tordue que tu en as l'air, Béa !

— Regardez ! hoqueta Kazuo.

L'aven aboutit enfin à la galerie principale. Retenant leur souffle, les trois Terriens contemplèrent la cité souterraine.

L'image se brouilla, et ils poussèrent un cri. Béatrice pianota avec empressement sur le clavier de son ordinateur. Lorsque l'écran redevint clair, ils examinèrent le paysage extraterrestre en silence, éblouis.

Des colonnes et des édifices dorés avaient été construits avec un souci évident d'esthétique. Pourtant, les motifs et les formes organiques représentées ne suivaient pas la même logique que celle des Terriens. Les fenêtres des bâtiments semblaient avoir été percées au hasard, et les étages obliques paraissaient instables, mais cela n'était qu'une illusion. Cette architecture était en accord avec une nature qui avait évolué autrement que celle de la Terre.

La ville était toutefois couverte de grappes et de talles de champignons qui s'apparentaient aux espèces des forêts terriennes. Dans ce décor fantastique, qui n'avait rien de l'enfer sombre et invivable qu'appréhendaient Jimmy, Béatrice et Kazuo, fourmillait un peuple en pleine activité.

— Je vais où, là ? demanda Jimmy.

— Essaie d'atteindre le sol, proposa Zeckie. Emprunte la corniche.

— Ce peuple a l'air serein… Pourquoi veut-il s'infiltrer chez nous ? questionna Béatrice.

— Cette cité est surpeuplée et ne peut plus accueillir les futurs spécimens. Vous voyez ces constructions cylindriques un peu partout dans la caverne ? Ce sont des incubateurs pour les volves qui donneront naissance à la prochaine génération…

— Les spécimens se développent dans des œufs ? s'étonna Kazuo. Je croyais que les champignons étaient des plantes.

— Non, dit Béatrice, ils ne font partie ni du règne végétal ni du règne animal. En vérité, les scientifiques ne savent pas trop comment les classer…

À cet instant, Jimmy engagea la blatte sur une pente trop abrupte, et la bestiole dégringola sur les parois friables de la grotte. Elle aboutit dans une gouttière qui recueillait l'humidité s'accumulant au plafond de la galerie.

Les mains sur les joues, Béatrice s'écria :

— Il n'est pas imperméable ! Sors-le de là tout de suite !

Transporté par le courant, le robot surfa un moment jusqu'à une jonction où, d'une adroite manœuvre, Jimmy l'éjecta de l'eau.

La bestiole atterrit sur une des bâtisses abritant les précieux Mycoloïdes en gestation.

— Tu es trop téméraire, Jimmy ! Rends-la-moi ! insista Béatrice, en tendant les doigts pour reprendre la manette.

— Relaxe-toi, ta coquerelle va super bien ! répliqua-t-il en s'éloignant de Béatrice.

Ce geste brusque fit voler la blatte dans une bouche d'aération du toit. Elle dégringola jusqu'en bas, se heurtant aux enveloppes molles des œufs qui tapissaient les murs de l'incubateur. Une fois sur le sol, la bestiole parcourut l'insolite couveuse éclairée d'une lueur rouge. Cette lumière tamisée laissait entrevoir, sous les coquilles, les fœtus en formation.

Plus loin, les volves parvenues à maturité étaient déchirées en forme d'étoile et béaient, vidées de leur contenu.

L'insecte mécanique longea ensuite de grandes racines qui reliaient chacun des œufs, puis se faufila par une ouverture qui donnait sur une pouponnière. Les jeunes Mycoloïdes y poursuivaient leur croissance, roulés en boule et couverts de terre. Le taux d'humidité de cette pièce était si élevé que la caméra de la blatte s'embua.

— Va vers la lumière ! conseilla Kazuo.

Jimmy se heurta à quelques buttes de nature

indéfinie et, soudain, le robot atteignit un tapis roulant. Celui-ci menait la terre appauvrie en éléments nutritifs à l'extérieur du bâtiment.

La blatte tomba dans une montagne de boue destinée à être filtrée et se sauva avant d'être ensevelie. Elle évita engrenages et machines pour enfin sortir à la clarté.

La ville grouillante de vie s'avéra encore moins facile à explorer. Dans des allées, les Mycoloïdes circulaient à toute vitesse, patinant sur des rubans de roche lisse qui parcouraient la cité. Le robot louvoya un moment dans la cohue jusqu'à ce qu'une des créatures l'accroche. Il se mit à tournoyer et fut projeté contre un mur. Un Mycoloïde tenta alors de l'agripper, mais, d'un coup de levier, Jimmy força la blatte à déguerpir par une porte ouverte.

— Je croyais qu'ils n'avaient pas d'yeux ! s'écria-t-il.

— Ce n'est pas parce qu'ils n'ont pas d'yeux qu'ils ne voient pas ! Ils repèrent facilement les objets brillants ou métalliques… Essaie de te tenir à l'écart ! lui ordonna la Gaïenne.

— Ce ne sera pas évident, je ne sais pas où je m'en vais !

Zeckie consulta sa carte des souterrains et indiqua un groupe de bâtiments au bas desquels se déployait un enchevêtrement de routes.

— Voici où se trouve le robot et voilà l'emplacement du Saonu. Tu es encore à une cinquantaine de mètres…

Jimmy fixa la carte avec un soupir.

— C'est pire que le niveau cauchemar d'un jeu vidéo ! Et je n'ai même pas de deuxième chance !

— Tu ferais mieux de me ramener mon robot en un morceau ! gronda Béatrice.

L'insecte mécanique arpenta le bâtiment, rasant discrètement les murs. Dans ce nouvel édifice, qui aurait pu être qualifié d'école, les jeunes Mycoloïdes étaient disposés en cercles dans de larges amphithéâtres. Leur tête était couverte d'un casque relié par des fils à un Mycoloïde au centre de la salle. Dans ce lieu d'apprentissage, le silence lourd paraissait étrange et incongru.

— C'est un peu du lavage de cerveau, non ? constata Kazuo.

— S'il en ont un… commenta Jimmy. C'est révoltant de se faire rentrer de la matière dans le crâne de cette façon-là !

— Ici, les rebelles sont considérés comme des erreurs de la nature. Et mieux vaut ne pas savoir de quelle façon on se débarrasse d'eux… rétorqua Zeckie.

Un des élèves de cette classe insolite enleva son casque et désigna la blatte qui se frayait un chemin autour de la pièce. À ce moment, les autres mirent fin à leur séance de formation pour se précipiter sur la mystérieuse bestiole.

— Sauve-toi ! Sauve-toi ! cria Béatrice.

Le robot détala, évitant de justesse la foule à ses trousses, et remonta un mur jusqu'à une fenêtre. Un tentacule tenta de le saisir à l'abdomen. Cela eut pour effet d'éjecter la blatte hors du bâtiment, sur une voie rapide qui agit telle une rampe de lancement et la propulsa au bout de la caverne. L'insecte mécanique heurta les parois de roche pour terminer sa spectaculaire envolée en glissant sur le plancher lisse d'un immense laboratoire.

Dans ce lieu éclairé, entouré de hautes fenêtres et rempli d'ateliers, des Mycoloïdes à l'œuvre confectionnaient ce qui ressemblait à des vêtements et les laissaient ensuite sécher à des patères. Le nez collé sur l'écran de son ordinateur, Béatrice eut un mouvement de recul et grimaça de dégoût.

— Ce sont des peaux humaines ! C'est avec ça qu'ils se déguisent et s'infiltrent chez nous ! Jimmy, peux-tu t'avancer un peu ?

Le jeune homme pressa avec obstination

les boutons de la manette. Le robot ne fit que pivoter sur lui-même.

— Ta bestiole a perdu des morceaux, elle ne veut plus marcher !

À l'écran apparurent deux grands tubes transparents où étaient suspendues des silhouettes familières.

— C'est Marie et le père de… euh… le Saonu de Zeckie, dit Kazuo.

— Bien, approuva Zeckie. Nous savons à présent qu'ils sont vivants.

Un gros bruit résonna, et l'écran de l'ordinateur se brouilla.

Béatrice porta la main à sa bouche, incrédule.

— C'est fini ? Mon robot est perdu ?

— Qu'est-ce que tu veux, Béa… Au moins, il a été utile, s'excusa Jimmy en haussant les épaules.

Béatrice lui lança un regard assassin.

— Si tu n'étais pas aussi borné, arrogant et… et IDIOT, ça ne serait pas arrivé !

— Du calme ! coupa Zeckie. Nous entamons maintenant la prochaine étape de notre mission. Jimmy, c'est à toi de jouer, car Kazuo et moi entrons dans la cité !

17

Afin de rendre les déguisements plus crédibles, Jimmy ajouta quelques accents de couleur sur les masques à l'aide d'une éponge et de la peinture qu'il avait apportées.

— Évidemment, vous ne serez pas capables de vous camoufler… Mais je n'ai pas l'impression qu'ils utilisent leur don entre eux.

Jimmy ajusta le costume de Kazuo qui regardait au loin, l'air soucieux. À quelques mètres, Béatrice était assise sur une roche, les bras croisés. Parcourue de frissons glacés, elle serrait les dents pour éviter de montrer une quelconque émotion.

Zeckie examinait ces Terriens. C'était flagrant : ils étaient effrayés. La jeune Gaïenne ne connaissait pas ce sentiment ; bien sûr, elle éprouvait parfois de la crainte, de l'angoisse. Pourtant, elle avait été entraînée pour ne pas ressentir ce genre de peur.

— Vous êtes terrorisés.

Un silence embarrassé lui répondit, puis Jimmy ironisa, avec un ricanement nerveux :

— Moi ? Jamais de la vie ! Tu as peur, toi, Kaz ?

Auparavant, Kazuo aurait été ravi d'entendre Jimmy Desjardins avouer sa trouille... À présent, ils étaient dans le même bateau. Il lui adressa donc un timide sourire complice.

— Na ! Je suis un vrai bloc de béton, rien ne m'atteint !

Béatrice, elle, se contenta de pousser un gros soupir.

— J'ignore ce qu'est la vraie peur, avoua Zeckie. Car pour connaître la peur, il faut avoir quelque chose à perdre...

— Et tu n'as rien à perdre ? demanda Kazuo.

— Je n'ai pas de famille, pas d'amis, ni d'attaches particulières. Tout ce que je possède, c'est mon sabre. Je suis soumise à des entraînements depuis mon enfance et, ma seule aspiration, dans la vie, c'est d'accéder au grade de Saïna... De quoi aurais-je peur ? De ne plus être fonctionnelle ? conclut-elle avec une étonnante amertume.

— Arrête, je vais pleurer ! railla Jimmy. Mes parents qui se foutent de moi, je n'ai pas d'amis, pas d'avenir... et j'ai peur quand même !

« Imbécile ! Tu pourrais en avoir, des amis, si tu ne jouais pas toujours à l'ogre ! » pensa Béatrice.

— Moi, j'éprouve de la peur en permanence… marmonna Kazuo. C'est ce qui me motive à marcher droit. Quand je fais un pas de travers, j'ai droit à une claque qui m'empêche de répéter mes erreurs. Pour ce qui est d'avoir quelque chose à perdre, dans mon cas, je me demande ce que c'est…

Jimmy lui décocha un drôle de coup d'œil. Kazuo était presque certain d'y avoir aperçu de la compassion.

— Béa est sûrement la seule qui a quelque chose à perdre !

— Ah oui ? Tu crois ça, Jimmy ? Je suis la risée de l'école parce que je fréquente une bande considérée comme bizarre, je donne des séances de tutorat à des ingrats qui se moquent de moi et, par-dessus le marché, mes parents sont si obnubilés par Émile que si je gagnais le prix Nobel, ils ne le remarqueraient même pas ! Si je manquais à l'appel, ils se rendraient peut-être compte qu'ils n'ont plus de gardienne d'enfant ! Alors voilà ce que j'ai à perdre !

— Pauvre petite ! Elle est jalouse de son frère ! la nargua Jimmy.

— Ah ! je te déteste ! Laisse-moi tranquille ! rétorqua Béatrice en lui tournant le dos.

Jimmy leva les yeux au ciel. Puis il aida Kazuo à enfiler le masque de Mycoloïde et le couvrit d'un grand drap pour dissimuler ses vêtements.

Zeckie approuva d'un hochement de tête.

— Le résultat est surprenant.

Elle fouilla dans le tube de plastique qu'elle transportait toujours et, d'un geste solennel, tendit un long sabre étincelant à Kazuo.

— Tiens. Puisque tu sembles avoir la compétence requise pour l'utiliser, je te prête l'arme du Saonu. Par Gaïa ! Il aurait ma peau s'il le savait, mais, dans les circonstances, je n'ai pas le choix !

La jeune Gaïenne revêtit à son tour son costume et cacha sa lame dans les replis de sa toge improvisée. Jimmy lui remit la fiole rouge qu'il avait ramassée un peu plus tôt.

— Si cette bouteille a fait décamper un Mycoloïde, elle pourrait aussi vous servir…

— Ma poudre ! se réjouit Zeckie en lui adressant un de ses rares sourires.

Avant de se diriger vers l'entrée de la cité, la jeune Gaïenne scruta ses compagnons. Béatrice serrait son ordinateur portable contre elle, espérant encore rétablir la communication avec son robot. Jimmy essuyait la peinture qui maculait ses doigts sur son chandail, et Kazuo, crispé dans son costume, examinait avec appréhension le sabre du Saonu.

Elle les trouvait un peu pathétiques dans leurs efforts pour sauver leur dimension décadente. Pourtant, à ce moment, elle sut qu'elle pouvait ressentir de la peur. À bien y penser, peut-être qu'elle avait peur de les perdre, eux.

D'un geste de la main, Zeckie chassa ces émotions néfastes et se dirigea d'un pas décidé vers la butte qui abritait le passage principal.

Kazuo soupira profondément et hésita à la suivre. C'était lui qui s'était porté volontaire pour s'infiltrer dans les souterrains. En traversant le portail vers Fungiia, il voulait impressionner Zeckie et jouer les héros. À présent, cependant, il n'était plus certain d'être à la hauteur.

— Bonne chance, Kazuo, l'encouragea Béatrice, timide.

Jimmy lui frappa amicalement l'épaule.

— Je ne suis pas inquiet pour toi, mon gars… Tu sais te défendre !

Encouragé par leurs paroles, Kazuo suivit Zeckie et disparut dans les entrailles de Fungiia.

***

Le couloir d'entrée s'avéra un long puits aux parois lisses. Kazuo glissa jusqu'au bout sans pouvoir s'empêcher de crier. Arrivé en bas, il buta contre Zeckie qui leva l'index devant son masque pour lui signifier de se taire. Même s'il ne voyait que par les minces ouvertures perforant son masque, Kazuo était certain que la jeune Gaïenne lui faisait les gros yeux.

Il était trop nerveux ; il devait se ressaisir. Il inspira profondément, tentant de se convaincre que cette situation n'était pas pire que le championnat régional de soccer. La différence était cependant que s'il commettait une erreur, il ne perdrait pas un match, mais sa peau…

Sa gorge se noua. Non, ce n'était pas de cette façon qu'il allait acquérir de la confiance.

Il changea d'attitude. Il songea que, pour une fois, il ne se tromperait pas, quoi qu'il arrive. Son père ignorait où il était et ne le sermonnerait donc pas. De plus, il n'y avait pas de solution prédéterminée au problème des Mycoloïdes. L'unique chose sur laquelle il pouvait compter, c'était son instinct. Et il ne se reprocherait jamais d'avoir essayé. Cette pensée lui donna le courage d'avancer.

Zeckie consulta sa carte et emprunta les chemins tortueux de la cité. Grâce à leurs déguisements, Kazuo et elle se mêlèrent bien à la foule.

Les Mycoloïdes se terraient sous le sol depuis des milliers d'années, et leur vision s'était dégradée. Ainsi, ils les laissèrent circuler à leur guise. Personne ne remarqua que Zeckie et Kazuo marchaient au lieu de glisser.

Pourtant, Zeckie les sentait nerveux, et ils semblaient tous guetter quelque chose. Une rumeur concernant l'arrivée d'intrus avait déjà parcouru la cité : les témoignages sur le robot-insecte qui rôdait confirmaient cette présence. Zeckie et Kazuo devaient donc se dépêcher de trouver le Saonu avant d'être identifiés.

Enroulée dans son drap, la tête baissée, Zeckie fonça, ignorant les créatures étranges sur son passage. Kazuo l'imita, sans pouvoir se retenir de jeter des regards émerveillés partout.

Vus de près, les hauts édifices dorés qui s'élevaient jusqu'au plafond présentaient tant de ramifications et de détails qu'ils ressemblaient à des plantes sinueuses. Leurs murs étaient couverts de symboles qui rappelaient les hiéroglyphes.

Des êtres spongieux s'affairaient dans ces nombreuses tourelles comme des insectes dans des termitières. Ils s'arrêtaient parfois un moment pour se désaltérer aux fontaines placées un peu partout, et la majorité se déplaçaient en patinant sur un enchevêtrement de rampes qui reliaient différents points stratégiques de la cité. Ils ne semblaient pas vraiment avoir d'intelligence individuelle, mais leur force découlait de leur sens profond de la communauté.

Malgré le silence qui régnait, Kazuo entendait dans sa tête un bourdonnement assourdissant qui lui faisait penser à des interférences radio. Les Mycoloïdes communiquaient par télépathie entre eux, et il percevait des bribes de leurs conversations.

D'un pas intrépide, Zeckie dépassa le lieu d'apprentissage que le robot-insecte avait exploré plus tôt et repéra le laboratoire qu'elle cherchait. Puisque les Mycoloïdes allaient et venaient sans restriction dans leur royaume, cela lui permettrait d'accéder au bâtiment sans contrainte.

Elle donna un coup de coude à Kazuo et, d'un signe du menton, lui désigna leur objectif. Le jeune homme acquiesça.

Dès qu'ils franchirent le seuil de l'immense bâtisse, un Mycoloïde à la peau verte les accueillit. Zeckie sut que la créature exprimait de l'allégresse en se souvenant de son cours sur le décodage du langage télépathique. La langue des Mycoloïdes utilisait des concepts plutôt que des mots, mais Zeckie pouvait presque tout comprendre de ce que lui racontait le Mycoloïde. Malheureusement, ce n'était que lors de la deuxième partie du cours, au niveau Kao, que les étudiants apprenaient à s'exprimer par les ondes cérébrales... Zeckie songea un instant à cette idiote de Kao 158 qui n'avait que faire des notions de cette langue dans son entraînement sous les palmiers d'Azuréa.

Zeckie inclina la tête pour répondre aux salutations de la créature. Grâce à la qualité des tissages que les visiteurs portaient, le Mycoloïde prenait Zeckie et Kazuo pour des aînés haut gradés venus veiller au bon déroulement des opérations précédant l'exode vers la Terre.

Ils se laissèrent guider et dépassèrent les ateliers de confection de peaux humaines, que Kazuo observa avec un profond dégoût. Ils furent ensuite introduits dans une zone bien gardée, entourée de murs vitrés. Troublé, Kazuo remarqua le robot-insecte écrasé sur le sol, et Zeckie repéra enfin ce qu'elle cherchait : le Saonu !

Dans un tube cylindrique à côté, Marie Jolicœur paraissait inconsciente.

Ignorant les questions répétées que lui adressait le Mycoloïde, Zeckie réfléchit à une façon de délivrer son mentor.

***

Sous le ciel sale où s'amoncelaient de plus en plus de nuages, Béatrice pianotait désespérément sur son clavier, passant sa rage du moment à essayer de réparer à distance sa défunte création. Appuyé derrière elle, Jimmy l'observait, dépassé par les formules incompréhensibles qui apparaissaient à l'écran de l'ordinateur.

— Pourquoi tu t'acharnes autant, Béa ?

Tu devrais être contente : ta blatte est morte au champ d'honneur.

— Va te faire voir !

— Je ne blague pas ! C'était mieux que de la donner en spectacle dans une foire de *lunetteux*...

Béatrice croisa les bras, la mine boudeuse.

— Avec mon invention, j'avais une chance de remporter une bourse cette année ! À cause de toi, c'est fichu !

— Tu n'es pas du genre mercantile, Béa... Pourquoi voulais-tu absolument ce prix ?

— J'en ai besoin pour assister à un camp de robotique aux États-Unis.

Devant la grimace de Jimmy, elle ajouta d'un ton caustique :

— Oui, c'est vrai, j'ai l'intention d'y rencontrer d'autres bizarres comme moi, qui parlent en langage codé et rêvent de circuits électroniques la nuit !

— Tu n'as pas peur de t'ennuyer, là-bas ?

Béatrice se rappela l'expérience catastrophique que Jimmy avait vécue dans une école européenne deux ans auparavant. Il s'imaginait sans doute que son séjour à elle pourrait s'avérer aussi pénible.

Passant du coq à l'âne, elle posa une question qui la tourmentait depuis longtemps.

— Jimmy, pourquoi n'as-tu pas répondu à mes lettres quand tu es parti en Suisse ?

Il mit tant de temps à répondre que Béatrice crut qu'il ne l'avait pas entendue.

— Parce que je ne les ai jamais reçues.

— Mais je les avais remises en main propre à ton… père.

En prononçant ce dernier mot, Béatrice comprit que M. Desjardins n'avait pas transmis le courrier à son fils.

Jimmy ramassa quelques cailloux couleur d'ocre sur le sol et les lança en direction d'une pierre qui reposait en équilibre au sommet d'un pic.

— Il faut que tu saches, Béa, que mes parents m'ont envoyé à l'autre bout du monde pour que j'aie des relations « convenables ».

Béatrice sourcilla. Elle ne s'était jamais considérée comme une mauvaise influence, surtout pas pour Jimmy…

— Dans ce cas, pourquoi as-tu tellement changé ?

Il ricana, cynique.

— Quand je me suis présenté avec mon accent québécois parmi les gosses de riches et de nobles qui possédaient de vieilles fortunes familiales, ils m'ont traité de fils de bûcheron, de paysan, de parvenu et de tout ce que tu peux imaginer. Après six mois à me faire insulter, je me suis arrangé pour revenir, raconta-t-il avec un sourire méchant. Et quand mon cher papa m'a placé dans une nouvelle école de snobs, il était trop tard...

— Maintenant que tu es revenu chez toi, tu n'as plus de raison de te rebeller.

— Oui, j'en ai une : je n'ai pas l'intention que mon père soit fier de moi.

Béatrice hocha la tête.

— Parce que si jamais il était fier de toi, c'est qu'il aurait gagné.

Béatrice avait toujours su choisir les bons mots et saisir ce que Jimmy n'arrivait pas à exprimer lui-même. Il lui adressa un sourire de connivence quand il la vit pâlir. À ce moment, la roche que Jimmy visait s'effondra sur le sol et souleva un nuage de poussière.

— L'écran est revenu ! Oh ! mon Dieu ! Regarde ! s'exclama la jeune fille.

Le ciel répondit à sa détresse par un grondement sourd.

18

Il n'y avait pas de moyen évident de sortir le Saonu de sa cage de verre. Puisque Zeckie ne parlait pas la langue des Mycoloïdes, elle ne pouvait négocier la libération de son mentor.

D'un geste vif, elle dégaina son arme et frappa de toutes ses forces le tube qui le retenait captif. Le Mycoloïde à ses côtés passa du jaune de la surprise au rouge de la colère.

« Qu'est-ce qu'elle fait ? » s'alarma Kazuo.

Le Saonu ouvrit les yeux, abasourdi par le vacarme. Hélas, même après des coups répétés, la vitre de sa prison ne se fissura pas. Exaspérée, Zeckie pinça les lèvres. Elle devait rapidement tenter le plan B.

Elle retira son masque et envoya valser le Mycoloïde d'un coup de pied. Celui-ci appela ses congénères en poussant un cri d'alarme télépathique.

En un éclair, une armée de monstres apparut et les encercla. Un frisson d'horreur parcourut l'échine de Kazuo qui se débarrassa de son masque à son tour et leva son sabre. Ses mains étaient si moites qu'il craignait que l'arme lui glisse entre les doigts au premier assaut.

— Pourquoi nous as-tu livrés en pâture comme ça ?

— Je n'avais pas le choix. Le bruit courait que des intrus avaient pénétré la cité. Ce n'était qu'une question de minutes avant qu'ils nous démasquent.

Zeckie attendit que les Mycoloïdes soient assez près et leur montra la fiole de poudre rouge qu'elle cachait. Perplexes, les monstres cessèrent d'avancer.

— Vous savez de quoi il s'agit, n'est-ce pas ? Vous avez vu dans quel état est votre complice, Michaël Laforêt…

Les créatures à peau jaune reculaient à présent.

— Cette dermatose va continuer ses ravages si vous ne découvrez pas un antidote, et vous en serez bientôt tous affectés. Je peux vous aider à trouver le remède si vous…

D'un mouvement sec, un des Mycoloïdes déploya ses tentacules. Pour éviter d'être frappée de plein fouet, Zeckie culbuta en arrière. Lorsqu'elle posa les pieds sur le sol, un tube cristallin émergea du plancher métallique et se referma sur elle. Coincée, la bouteille de poudre cramoisie entre les doigts, elle jeta un regard paniqué à Kazuo. Désormais, il était seul pour affronter la cohue.

Le sang lui battant les tempes, le jeune homme agita son sabre de son mieux. Puisqu'il lui était impossible de venir à bout de ces monstres et de secourir qui que ce soit, il décida de fuir.

Il fallait chercher de l'aide ! Jimmy et Béatrice étaient encore dehors. Peut-être qu'à trois ils pourraient songer à une solution… Peu importait. Pour l'instant, il ne devait pas se laisser attraper. Tant qu'il demeurait libre, il avait l'espoir de s'en sortir. Il souhaitait au moins que Zeckie ne le prenne pas pour un peureux ou un déserteur !

Cette succession de pensées défila dans sa tête tandis qu'il sillonnait la cité à une cadence effrénée. Les Mycoloïdes qu'il croisait, interloqués de voir cette étrange créature à peau rose se balader parmi eux, viraient au jaune.

Kazuo refit à l'envers le chemin qu'avait

parcouru la blatte, car c'était la seule route qui lui était vaguement familière. Derrière lui, les Mycoloïdes du laboratoire s'engageaient sur les voies rapides, patinant à une vitesse fulgurante. L'adolescent redoubla d'effort pour les semer.

Il repéra un des bâtiments incubateurs que lui avait indiqués Zeckie, y entra à la volée, traversa les différentes pièces et remonta jusqu'à la couveuse. Il grimpa aux branches nourricières qui couvraient les murs et se hissa par une des bouches d'aération. Il croyait avoir enfin semé ses poursuivants. Aussitôt sorti, il se pétrifia. Une délégation complète l'attendait sur le toit.

Il soupira, découragé, puis songea aux gouttières qui descendaient des plafonds de la galerie. C'était son dernier recours.

Lorsque les monstres se jetèrent sur lui, Kazuo s'élança dans le vide.

***

En observant le fil des événements sur l'écran de son ordinateur, Béatrice porta les mains à sa bouche.

— Zeckie est prise au piège !

Jimmy serra les dents. Zeckie semblait si

confiante de vaincre les Mycoloïdes qu'il ne s'attendait pas à ce que la situation dégénère à ce point.

— Qu'allons-nous faire ? demanda Béatrice, effrayée.

— Il faut partir !

— On ne va pas les laisser là !

Jimmy se redressa et aperçut quelques silhouettes qui les épiaient derrière les buttes de roches. Les Mycoloïdes n'avaient pas perdu de temps avant de les repérer.

— Encore faudrait-il qu'on s'en sorte nous-mêmes ! riposta Jimmy. Cours !

Il agrippa Béatrice par la main et l'entraîna vers les dunes orangées. Ils gravirent puis dévalèrent les monticules de sable jusqu'à ce qu'ils soient à bout de souffle.

— Ils nous suivent ! glapit Béatrice.

Jimmy tira son fusil à eau de son sac.

— Mon réservoir est vide !

— Le mien aussi ! Et ils arrivent !

Trois monstres dévalèrent alors la montagne cuivrée derrière eux. En les repérant, celui qui était en tête émit un bourdonnement hilare et signala aux autres de demeurer sur place. Quelle menace deux jeunes Terriens pouvaient-ils représenter ?

Le Mycoloïde flagella Béatrice, dont le

menton se fendit pour laisser échapper une rigole de sang. Jimmy s'interposa, projeta son poing sur le thorax de la créature. Celle-ci broncha à peine et saisit le jeune homme à la gorge, l'étranglant d'un de ses tentacules. Béatrice tenta alors de l'assommer avec son ordinateur, mais le crâne souple de la créature encaissa le choc sans blessure.

Les doigts plantés dans l'appendice du monstre, Jimmy essayait par tous les moyens de se dégager. Incapable de respirer, il se débattit jusqu'à ce que sa vue s'embrouille et qu'il s'évanouisse.

Béatrice pleurait de rage, criblant son assaillant de coups, quand un grondement de tonnerre attira l'attention des Mycoloïdes. Le chef lâcha Jimmy et lança un avertissement muet aux autres. En un éclair, les monstres disparurent.

Le ciel couvert annonçait maintenant une tempête.

Béatrice se jeta sur Jimmy et le secoua pour le réveiller.

— Jimmy ? Réponds-moi !

Le jeune homme demeura inerte malgré ses cris. Les doigts tremblants, elle chercha son pouls. Il n'était pas mort, son cœur battait faiblement.

— Jimmy ! Tu ne peux pas partir comme ça, je te l'interdis !

Elle répéta son nom sans arrêt, lui assenant en vain des claques sur les joues. Les paupières de Jimmy restèrent fermées.

Abattue, elle leva les yeux et aperçut, au loin, un immense nuage de poussière qui fonçait droit sur eux. Béatrice serra Jimmy et laissa libre cours à ses larmes. À présent, ils n'avaient plus aucun espoir de se sauver.

Désespérée, elle songea à ses parents et à Émile. Même si elle critiquait son petit frère, elle suivait avec fascination ses exploits quotidiens.

Elle reporta son attention sur son ami d'enfance qui reposait dans ses bras et le berça doucement.

— Jimmy… Je ne te l'ai jamais avoué… Je… je t'aime. Je t'aimais même quand tu es revenu en ville avec cet affreux mohawk bleu. Je sais que tu ne m'aimes pas. Ce n'est pas grave, je t'aime pour deux ! Peut-être assez pour dix ! débita-t-elle, la gorge nouée.

Le vent souffla, soulevant des tourbillons de sable et emmêlant les boucles rousses de Béatrice. Dans un sanglot, la jeune fille se pencha sur Jimmy pour le protéger.

— J'aurais dû avoir le courage de te le dire avant. Tu te serais bien moqué de moi, mais, au moins, tu le saurais…

Tandis que les bourrasques hurlaient, elle sombra peu à peu, inconsciente de la bulle translucide qui s'était formée autour d'eux.

***

Kazuo bondit hors de l'aven et courut à la butte où il avait laissé Béatrice et Jimmy. Saisi de panique, il n'y trouva personne.

— Ils ne sont quand même pas partis ! s'exclama-t-il tout haut.

Il aperçut trois Mycoloïdes qui revenaient des dunes et se dissimula derrière les pics de roche, serrant le sabre du Saonu contre lui. À son grand soulagement, les monstres ne suivaient pas sa trace et se précipitaient vers les souterrains.

Dès qu'il fut certain que le champ était libre, Kazuo s'élança dans le désert.

Où devait-il aller ? Sans l'aide de ses amis, pourrait-il retourner de l'autre côté du portail pour obtenir du renfort ? Qui le croirait, qui voudrait l'appuyer ? Zeckie était en difficulté, il ne pouvait pas l'abandonner !

À bout de forces, il trébucha et déboula

une montagne de sable. Désespéré, il hurla sa frustration à pleins poumons.

Un craquement le fit se dresser. Une tempête de sable fonçait sur lui. Affolé, il regarda autour. Il n'y avait aucun endroit où se réfugier. Il était seul pour affronter la tourmente.

Il se roula en boule et tira son anorak pardessus sa tête, pendant qu'un film d'événements incohérents était projeté derrière ses paupières fermées. Sa bataille avec Jimmy devant l'école, son père qui lui donnait une correction, le dernier match de soccer, David Dubois et, enfin, ce sourire lumineux que Zeckie lui avait adressé avant de sauter dans le vortex menant à Fungiia. C'était le plus beau sourire qu'il avait jamais vu.

À cet instant, la tempête l'avala.

***

Enfermée dans son tube de verre, Zeckie soupira. Elle osait à peine lever le regard sur le Saonu, honteuse d'avoir échoué. Par contre, ce qu'elle lut dans ses yeux n'était pas du reproche, loin de là, mais plutôt un mélange de désarroi et de frustration. C'était la première fois que Zeckie voyait son mentor aussi vulnérable.

Le Saonu savait à présent qu'ils étaient tous deux victimes d'un énorme complot.

La jeune Gaïenne observa le chemin qu'avait emprunté Kazuo pour s'enfuir. Avait-il des chances d'échapper à l'ennemi ?

Elle se réjouit lorsqu'elle vit les Mycoloïdes qui le traquaient revenir bredouilles de leur chasse. Pourtant, rien n'était gagné. Que pourrait faire le jeune homme une fois à l'extérieur ? Malgré ses bonnes intentions, avait-il la capacité, avec Jimmy et Béatrice pour seuls alliés, de contrer une machination de cette envergure ? Elle en doutait, malheureusement.

Fidèle à elle-même, elle décida de rédiger un rapport sur ses observations de Fungiia. Peut-être que d'honnêtes agents de Gaïa auraient l'occasion de s'en servir s'ils réussissaient à freiner l'invasion des Mycoloïdes…

Rapport 6.0
Identification : 2259-826-1935-0-432
Niveau : Zan
Dimension : Fungiia

État de l'enquête : Grâce à un message désespéré lancé par le Saonu 774, nous avons eu la confirmation que la noble armée de Gaïa est corrompue et favorise l'invasion mycoloïde de la Terre pour des raisons inconnues. Le Saonu 618 et moi-même sommes tenus captifs dans une cité souterraine de Fungiia. Un groupe de Terriens — Kazuo Miyabe, Béatrice Paradis et Jimmy Desjardins — m'ont prêté main-forte, hélas sans succès.

Observations : Les Mycoloïdes possèdent plusieurs dons qui n'avaient pas été recensés. Ils ont, entre autres, la capacité de se fondre dans leur environnement. Et plus ils sont nombreux, plus ils sont forts. Je peux aussi confirmer que leur humeur se reflète dans la couleur de leur peau : le jaune signifie la surprise et la peur ; le vert, la joie ; et le rouge, la colère…

Avis aux agents gaïens : La formule de poudre urticante semble plus efficace que prévu…

19

Béatrice revint à elle avec l'agréable sensation de voguer sur un nuage. Elle n'avait ni chaud ni froid et elle se berçait doucement. Lorsqu'elle ouvrit les yeux, cependant, la panique s'empara d'elle. Seule une minuscule fenêtre floue au-dessus de sa tête lui permettait de voir.

Elle reposait dans un bassin parmi de grosses particules qui n'avaient ni la consistance d'un liquide ni celle d'un gaz, comme de l'huile flottant dans l'eau. Elle toucha son nez, inquiète de ne pouvoir respirer dans cet environnement insolite. Contre toute attente, elle semblait en parfaite symbiose avec cette matière.

Se remémorant les derniers événements, elle s'agita, se demandant ce qui l'avait menée ici.

La porte du sarcophage ovoïde s'ouvrit soudain, éclairant son environnement, et elle tendit le cou, engluée de la tête aux pieds, inspirant à grandes lampées l'air ambiant. Les doigts tremblants, elle s'essuya le visage et inspecta avec curiosité l'extérieur de la cuve.

Les plafonds couverts de mousse et de plantes contrastaient avec le reste de la pièce jonchée de machines. Il y avait aussi plusieurs réservoirs côte à côte : deux d'entre eux étaient béants et vides.

À quelques pas d'elle, Béatrice aperçut Jimmy et Kazuo qui observaient ce qui se passait de l'autre côté d'une immense vitrine. Celle-ci donnait sur un hôpital ou un laboratoire qui avait plutôt des allures de serre bien entretenue. D'immenses êtres violacés s'affairaient dans cette jungle, jetant de temps à autre des regards curieux vers eux.

— Où sommes-nous ? articula Béatrice d'une voix enrouée.

Jimmy se tourna brièvement vers elle.

— Les petits copains de David Dubois nous ont retrouvés…

— Espérons qu'ils sont gentils… ajouta Kazuo.

Consciente que sa perception s'était transformée, Béatrice tâta son visage.

— Je n'ai pas de lunettes… et je vois ! Je vois loin ! s'émerveilla-t-elle.

Son expression ravie changea, faisant place à l'incrédulité.

— Mais vous êtes… vous êtes…

Elle baissa les yeux, effarée. Elle était complètement nue ! Nue devant deux garçons qui fréquentaient son école ! Quelle horreur ! Elle se jeta hors du bassin et se réfugia derrière, mortifiée que cette étrange expérience devienne, du coup, le moment le plus embarrassant de sa vie.

— Toujours aussi prude, Béa ? se moqua Jimmy.

Il cueillit une feuille qui pendait de la voûte et la tint devant lui.

— C'est mieux comme ça ?

Kazuo ne put s'empêcher de rire. Plus rouge qu'une pivoine, Béatrice enfouit son visage dans ses mains.

— Tu es trop con, Jimmy Desjardins !

À cet instant, une paroi s'écarta et laissa entrer une créature filiforme aux mouvements gracieux dont la peau transparente révélait des veines et des organes dorés. Intimidés, les jeunes Terriens demeurèrent silencieux jusqu'à ce que le Mycorhize leur transmette ses pensées.

— Mes cordiales salutations. Je me réjouis que vous soyez réveillés. Nos cuves de convalescence vous ont-elles été bénéfiques ?

Médusés, les trois adolescents hochèrent la tête. Toujours dissimulée derrière son bassin, Béatrice s'enquit :

— Est-ce pour ça que je n'ai plus besoin de lunettes ?

— Oui. Nos particules régénératrices ont la capacité de réparer certaines défaillances.

Le Mycorhize s'adressa d'abord à Kazuo.

— Ainsi avons-nous pris soin de restaurer l'os de votre genou qui avait subi plusieurs chocs et n'allait pas tarder à se fracturer.

Surpris, le jeune examina sa jambe et constata que les cicatrices avaient disparu.

— Et nous avons purifié vos poumons qui étaient étonnamment pollués pour un humain de votre âge…

Jimmy leva les yeux au ciel, agacé. Même cette créature de film d'horreur lui faisait la morale…

Le Mycorhize s'exprimait par télépathie. Pourtant, les adolescents comprenaient chacun des termes qu'il employait. Son dialecte n'employait pas de mots, mais des concepts, et il semblait capable de s'ajuster au langage terrestre comme s'il n'avait eu qu'à changer de fréquence sonore pour les atteindre.

— Où sommes-nous ? s'enquit Kazuo.

— Vous êtes dans la cité de Mycorhizia, à quelques lieues de la cité de Thallophia, près de laquelle nous vous avons recueillis. Puisque vous êtes bien remis, je vous suggère une visite de notre ville souterraine où vous en apprendrez plus à notre sujet. Je m'appelle Enoki.

— Est-ce que nous pourrions avoir des vêtements ? demanda Béatrice, les joues écarlates.

— Ne vous inquiétez pas, notre environnement est adapté à vos besoins cutanés. Vous n'aurez pas froid.

— Ce n'est pas ce qu'elle veut dire… Elle hésite à se montrer, souffla Kazuo avec un sourire en coin.

— Elle a peur du grand méchant loup… renchérit Jimmy, coquin.

Béatrice le fusilla du regard.

— Pardonnez-moi. Mes études limitées du milieu terrestre ne m'ont pas permis de comprendre toutes vos mœurs… Suivez-moi. Je vous donnerai quelque chose pour vous couvrir.

Béatrice suivit le groupe, se cachant du mieux qu'elle le pouvait, rappelant Jimmy à l'ordre en lui indiquant de regarder devant lui. À l'extérieur de la pièce, Enoki trouva un distributeur de petites ampoules et en tendit une à chaque Terrien.

— Brisez-la, indiqua-t-il à Béatrice.

La jeune fille cassa la fiole en deux et, à sa stupéfaction, la substance à l'intérieur se propagea le long de ses bras jusqu'à ce qu'elle couvre son corps en entier, à l'exception des mains et de la tête. Cette matière rouge et souple l'enveloppa comme une deuxième peau, s'amincissant sur les muscles et se gonflant près des articulations. Les garçons l'imitèrent et furent bientôt vêtus, eux aussi, d'une combinaison.

Jimmy tira le mystérieux tissu qui se remit aussitôt en place.

— Ce sont des microparticules organiques, de la même famille que les spores, qui s'adaptent à votre épiderme pour être en parfaite symbiose avec votre organisme.

— Je ne suis pas certain de vouloir en savoir plus ! grimaça Jimmy. On dirait une maladie de peau !

Enoki émit un bourdonnement hilare.

— Au contraire, nous nous en servons sur les blessés graves. Cela leur permet de reprendre rapidement leurs activités. Ainsi, ils n'ont pas besoin de s'enfouir sous terre…

— C'est ce dont David aurait eu besoin, souffla Kazuo.

— David ? s'intéressa la créature.

— David Dubois. Il était de votre race, je crois, expliqua Béatrice. Il s'est sacrifié pour nous aider…

Enoki demeura silencieux un moment, puis disparut en fumée.

— Bien joué, Béa. Tu l'as fait fuir !

Un murmure parcourut les couloirs du laboratoire et, les unes après les autres, les créatures se volatilisèrent jusqu'à ce qu'il ne reste plus personne. Un chant s'éleva dans l'air, semblable à une chorale angélique. Les trois compagnons se serrèrent, inquiets de cette manifestation étrange. Les lamentations montèrent en un crescendo assourdissant, puis se turent brusquement.

Au bout de quelques minutes, Enoki se rematérialisa devant eux.

— Je suis désolé pour cet instant de recueillement. Le départ de mon frère nous affecte beaucoup.

— Frère ? Je croyais que vous naissiez dans des couveuses, s'étonna Kazuo.

— Nous sommes nés du même Mycélium.

Puisque Kazuo ne saisissait pas, Béatrice précisa :

— Ce sont les tiges nourricières que nous avons vues… C'est comme deux fruits qui pousseraient sur la même branche !

— Heureusement que David était là, raconta Jimmy, sinon nous y serions passés, c'est sûr ! Les Mycoloïdes ne lui ont laissé aucune chance !

Enoki, qui était demeuré neutre jusque-là, rougit de colère.

— Il y a peut-être une pointe d'espoir, le rassura Kazuo. David a mentionné qu'il pouvait retourner à la terre pour se régénérer…

— Cela ne change rien. Nos amis de Thallophia ne s'en sont jamais pris à l'un des nôtres. Malgré nos différences, nous entretenons depuis la nuit des temps des relations pacifiques et respectueuses et, en aucun cas, il n'a été question d'assassinat jusqu'ici. Nous devrons remédier à cette situation par la négociation ou par la force !

— Qu'est-ce qui a pu les rendre si agressifs ? interrogea Béatrice.

— Lorsqu'ils ont découvert la brèche qui menait à la Terre, nous leur en avons défendu l'accès afin de respecter les principes de Gaïa. Pour une raison inconnue, les agents interdimensionnels n'ont pas refermé ce portail, et les habitants de Thallophia en ont profité pour s'y infiltrer et orchestrer un exode. Pour freiner cette invasion, nous avons envoyé sur Terre quelques-uns de nos plus braves spécimens. Hélas, certains ne semblent pas apprécier cette initiative. Puisque notre dimension est en train de mourir, ils ont surpeuplé leur cité et ont peur de rester pris ici.

— Pourtant, vos souterrains sont bien aménagés, jugea Béatrice en montrant d'un geste les plantes qui grimpaient partout.

— C'est vrai. C'est quoi, cette jungle ? ajouta Jimmy.

La verdure recouvrait tout, même les machines aux formes organiques. D'ailleurs, celles-ci tiraient visiblement leur énergie des végétaux et les nourrissaient en retour.

— Ici, à Mycorhizia, nous vivons en harmonie avec la nature. Ce que nous créons doit être en accord avec elle, sinon nos organismes ne peuvent survivre. Les spécimens de Thallophia, qui sont archaïques et beaucoup plus nombreux, se développent en parasitant l'environnement. Ils ont dévasté notre monde sans rien renouveler, et c'est là que nous en sommes. Puisqu'ils refusent leur destin, ils cherchent à le fuir. Cela m'amène à vous demander comment et pourquoi vous avez traversé dans la dimension de Fungiia, jeunes Terriens. Votre présence ici constitue une aberration !

— Eh bien, pour commencer, il y a cette fille de Gaïa, Zeckie, qui est descendue chez nous pour refermer la brèche. Mais il y a eu un hic quand elle a rencontré les Mycoloïdes, affirma Jimmy. D'après David, Gaïa serait corrompue…

— Quand son Saonu s'est fait enlever, continua Béatrice, elle s'est retrouvée seule et nous avons décidé de lui donner un coup de main… Et, par malheur, elle a été capturée à Thallophia.

— Zeckie et le Saonu constituent notre dernier espoir de mettre fin à l'invasion de notre dimension ! ajouta Kazuo avec un peu trop d'insistance.

Enoki croisa ses grands bras flasques.

— Ce n'est pas votre unique raison de vouloir vous porter à la rescousse de cette jeune Gaïenne, Kazuo, se moqua-t-il.

Kazuo rougit et se cacha le front entre les mains. Il devait se méfier de ces créatures télépathes, car elles pouvaient aussi saisir ses pensées !

Jimmy et Béatrice le dévisagèrent.

— Donc tu n'es pas si noble que ça… railla Jimmy. On sait pourquoi tu joues les héros maintenant !

— Pas besoin de lire dans sa tête, c'était évident depuis le début ! Il a même dû s'abaisser à me demander d'aller au cinéma pour avoir l'occasion d'inviter aussi Zeckie, continua Béatrice avec un éclat de rire mutin.

Kazuo grogna, plus embarrassé que furieux.

— Alors, quel est le plan ? demanda-t-il à Enoki, ignorant les plaisanteries des autres.

— Dès la tombée du jour, nous prendrons d'assaut Thallophia, lâcha le Mycorhize. D'ici là, préparez-vous à affronter le pire. Êtes-vous prêts à tout pour sauver votre dimension ?

Béatrice jeta un coup d'œil à ses compagnons et tendit la main, paume vers le haut, comme l'avait fait Zeckie avant qu'ils quittent la Terre. Jimmy et Kazuo y posèrent les doigts.

— Oui ! éclatèrent-ils en chœur.

Un gargouillis mit fin à ce moment solennel. Jimmy se prit le ventre.

— Désolé, mais je suis en pleine croissance, moi ! J'ai besoin de manger quelque chose si je veux être efficace !

La tête translucide d'Enoki devint verte.

— J'ai ce qu'il vous faut, dit-il joyeusement. Venez, jeunes Terriens !

***

Assoupie au fond de sa prison de verre, Zeckie sentit quelque chose lui chatouiller les doigts. D'instinct, elle leva son sabre et l'appuya contre le tentacule qui essayait de lui subtiliser la fiole de poudre rouge. Heureusement, les Mycoloïdes n'avaient pas eu le temps de lui retirer sa lame avant de l'enfermer. De plus, elle détenait dans sa bouteille une arme dangereuse contre les spécimens de cette cité.

Tandis que la paroi de la cellule se refermait, le Mycoloïde retira sa trompe d'un coup sec, pestant contre la rapidité de la jeune Gaïenne. Zeckie se redressa avec un sourire frondeur et brandit le flacon devant elle à la façon d'un trophée. Elle se rendit compte qu'un groupe de créatures s'étaient massées autour de sa cage cristalline et l'examinaient avec un mélange de hargne et de crainte. Elles portaient toutes des marques de la maladie rouge qui commençait à se propager.

— Si vous acceptez de nous libérer et de collaborer, je concocterai l'antidote de cette maladie.

Fière d'elle, Zeckie les défia du regard, convaincue qu'elle avait repris le contrôle de la situation. Elles ne pouvaient refuser son offre, sans quoi elles couraient à leur perte.

— Et ne tentez pas de m'empoisonner ou de m'endormir, car je n'hésiterai pas à fracasser cette bouteille et vous devrez m'enterrer très loin pour éviter que la contagion ne s'étende davantage…

Un des Mycoloïdes fendit la foule. Il était sans doute le plus affecté par la maladie. Le côté droit de sa tête, son cou et son bras étaient couverts d'éruptions cutanées et de plaies qui suppuraient. Malgré cette hideuse lèpre qui l'affaiblissait, Zeckie reconnut celui qui revêtait autrefois l'identité de Michaël Laforêt.

— Êtes-vous prêts à écouter mes exigences ? demanda la jeune Gaïenne.

— Vous croyez que vous réussirez à gagner avec ce misérable chantage, n'est-ce pas ?

Il fit signe à deux de ses acolytes qui transportèrent un cercueil de verre jusqu'à

Zeckie. La Saïna 263 reposait dans ce sarcophage !

Auréolée de ses longues boucles noires, elle était endormie comme une princesse des contes terrestres. Pourtant, ce sommeil n'avait rien de romantique ; son bras gauche avait été sectionné sous le coude et on avait volé son Syctid…

Zeckie comprit alors.

La Saïna qui avait tout machiné était un Mycoloïde déguisé. Cet imposteur avait imposé à Zeckie ce pénible examen de niveau et l'avait fait échouer. Il l'avait forcée à conduire une mission vouée à l'échec sur Terre et avait mobilisé un des meilleurs agents de Gaïa, le Saonu 618, pour veiller sur cette aventure impossible.

Pour empêcher les agents gaïens de savoir que la Saïna 263 était en difficulté, le Mycoloïde avait tranché le bras auquel était attaché le Syctid, l'avait greffé à son costume et s'était rendu dans la dimension de Gaïa !

La Saïna était venue elle-même refermer la brèche entre Fungiia et la Terre. Mais les Mycoloïdes, qui n'acceptaient pas d'être enfermés dans leur monde agonisant, avaient contrecarré sa mission.

Désarçonnée devant cet horrible complot,

Zeckie jeta un œil au Saonu qui avait saisi comme elle. Qu'allaient-ils devenir à présent ?

Pour ne pas éveiller les soupçons des agents gaïens non corrompus qui pourraient les repérer grâce aux Syctids fixés à leurs poignets, les Mycoloïdes les garderaient probablement en vie. Ils attendraient d'avoir complètement envahi la Terre et de s'être infiltrés en assez grand nombre sur Gaïa pour en prendre le contrôle. Après quoi, ils disposeraient d'eux…

Michaël Laforêt éclata d'un bourdonnement entrecoupé de hoquets.

— Maintenant, nous aidez-vous à trouver l'antidote de la maladie rouge ou mettons-nous fin aux jours de votre chère Saïna ?

20

— Si le paradis ressemble à ça, je n'ai pas peur d'y aller! soupira Jimmy, adossé contre le tronc d'un immense pommier, les bras croisés derrière la tête.

Contrairement à Thallophia, Mycorhizia n'était pas une cité bâtie dans une vaste galerie, mais plutôt une succession de pièces souterraines reliées par des corridors. Celles-ci étaient toutes jonchées de plantes luxuriantes, irriguées par des centaines de petits ruisseaux, éclairées artificiellement et entretenues avec amour.

Après une brève visite des lieux, Enoki avait redonné leurs vêtements à Jimmy, Kazuo et Béatrice, puis les avait menés à une sorte de biodôme qui reproduisait la nature terrestre afin que les adolescents puissent se rassasier et reprendre leurs forces.

Cette immense serre avait été construite dans le but de permettre aux agents qui s'apprêtaient à partir en mission de s'adapter à l'environnement de la planète bleue.

Pendant que Jimmy rêvassait et que Kazuo était juché dans un prunier à se gaver de fruits, Béatrice faisait les cent pas autour d'un étang. Songeuse, elle repensait à ce qu'elle avait avoué à Jimmy au moment où la tempête de sable s'était abattue sur eux. Était-il conscient ? Avait-il entendu ? Mal à l'aise, elle rassembla son courage et décida de le questionner.

— Jimmy… euh… Te rappelles-tu ce qui s'est produit avant qu'on se réveille ici ?

— Rien ! *Niet ! Nada !* C'est le néant total après que le Mycoloïde a tenté de m'étrangler…

« Fiou ! » songea-t-elle, soulagée. Mais une petite voix dans sa tête lui souffla : « Et dire que tu souhaitais qu'il vive pour avoir la chance de lui avouer tes sentiments… Idiote ! »

— Et toi, Tarzuo, l'homme de la jungle, là-bas, comment t'es-tu rendu ici ? demanda Jimmy.

Kazuo décida de ne pas se formaliser de ce sobriquet ridicule et sauta par terre, les mains remplies de prunes.

— Quand je suis sorti de Thallophia, j'ai décampé vers les dunes pour éviter un groupe de Mycoloïdes et j'ai été pris dans la tempête… J'ai paniqué, je croyais que vous étiez partis.

Jimmy l'observa: il voyait clairement la perche que Kazuo lui tendait. Après ce qu'ils venaient de vivre, peut-être devraient-ils enterrer la hache de guerre.

— Tu ne te débarrasseras pas de nous si facilement, mon vieux, répondit Jimmy, espiègle.

Kazuo lui rendit son sourire. Leurs vieilles querelles étaient enfin terminées et cela tombait à point, car une guerre bien plus importante éclaterait bientôt.

L'arrivée dans cet éden d'Enoki et d'un autre Mycorhize les ramena à la réalité. La nouvelle créature était plus chétive, et sa peau mate et rêche se creusait de ridules. Elle se mouvait avec moins de fluidité que ses congénères.

— Voici Peckii, notre doyen. Nous venons de convoquer notre communauté afin de déterminer les mesures à prendre face aux habitants de Thallophia.

D'une voix faible mais néanmoins autoritaire, Peckii ajouta:

— Je suis ici pour vous transmettre mes instructions…

***

— Alors, est-ce que vous vous dépêchez avec cette formule ou bien devrai-je empaler la Saïna avec votre sabre ? susurra la voix de Michaël Laforêt à l'oreille de Zeckie.

Il était visiblement affaibli par la dermatose qui le rongeait. Pourtant, sa menace n'en était pas moins sérieuse. Assise devant une console de pierre, entourée de Mycoloïdes, Zeckie s'activait du mieux qu'elle le pouvait en analysant sur son Syctid les données recueillies sur la maladie : la dermatose se développait sur des champignons terrestres, même si certains spécimens y résistaient. Si seulement elle avait pu mettre la main sur un de ceux-ci, elle aurait pu comprendre comment fonctionnait l'infection cutanée et trouver l'antidote.

Elle étudia un échantillon de peau malade à l'aide du lecteur optique intégré à son Syctid et tenta de trafiquer la molécule qu'elle avait créée pour en inverser les effets. Mais cela était plutôt long, et les Mycoloïdes s'impatientaient.

Zeckie aurait eu besoin du Saonu pour l'aider. Hélas, ses bourreaux refusaient de le libérer.

— Eh bien ? insista Michaël.

— Il m'a fallu une nuit complète pour fabriquer la poudre, alors le remède ne se fera pas instantanément ! Soyez patients, vous ne mourrez pas de cette dermatose ! rétorqua la jeune Gaïenne.

— Nous ne pouvons poursuivre notre invasion dans ces conditions !

— Je ne peux pas être plus rapide ! Mes doigts n'ont pas l'habileté de transcrire plus vite l'information sur le clavier !

— Votre cadence sera-t-elle augmentée si je tranche un à un les membres de votre dirigeante ?

Zeckie sentit un frisson la parcourir et serra les dents. Elle n'avait pas le choix : elle devait aller au-delà de ses capacités.

— Non, je me dépêche.

Elle pianotait à un rythme effréné, pestant de ne pas avoir eu la chance de suivre des cours de chimie plus poussés. La sueur perlait sur son front. Elle l'essuya d'une main tremblante, consciente que la pointe de la lame de son sabre était appuyée sur le coude droit de la Saïna. Zeckie avait rarement été aussi nerveuse, même à la veille de son examen de niveau.

Elle sonda la pièce du coin de l'œil. Si elle ne réussissait pas, serait-elle capable d'affronter à elle seule cette horde de monstres ? Ils étaient une cinquantaine, peut-être davantage. Le défi relevait plus du suicide que de l'exploit…

— Vos minutes sont comptées, siffla Michaël.

L'arme étincelante effleura la peau blanche de la Saïna, laissant une marque écarlate. Au grand désespoir de Zeckie, son Syctid afficha un énième message d'erreur.

Soudain, elle perçut une exclamation. Un bourdonnement de satisfaction parcourut la foule.

Zeckie leva la tête et remarqua un groupe de monstres qui escortaient ses trois amis terriens.

La jeune Gaïenne posa les mains sur ses joues, découragée. Il n'y avait plus aucun espoir de ce côté, ils avaient été capturés.

— Kazuo, c'est ta faute, espèce d'imbécile ! Si tu n'avais pas joué à l'innocent, on n'aurait pas été attrapés ! aboya Jimmy.

— Et si tu fermais ta gueule pour une fois, Jimmy ! ronchonna Béatrice. Peckii nous a livrés en pâture à Thallophia… Nous sommes un cadeau de trêve !

— Comment est-ce que je pouvais savoir qu'on était une monnaie d'échange ? fulmina

Kazuo, rouge de colère. Ils nous ont joué un sale tour ! Tu aurais dû le remarquer, Jimmy, parce que la traîtrise, c'est plus ton rayon que le mien !

— Si je n'étais pas pris comme un rat, je te cognerais si fort que tu verrais des étoiles pendant une semaine !

Cette querelle décontenança les Mycoloïdes qui observaient l'échange, médusés. De son côté, Zeckie, exaspérée, n'en croyait pas ses oreilles.

Comment ces Terriens pouvaient-ils faire les pitres à un moment pareil ? Elle avait l'impression d'assister à une pièce de théâtre burlesque. Qu'avaient-ils en tête pour se donner en spectacle de la sorte ? Ils allaient tous être massacrés !

— Assez ! grogna Michaël.

Le Mycoloïde pointa le sabre de Zeckie sur la gorge de Jimmy. Le jeune homme déglutit et, lorsqu'une créature lui attrapa les bras, une lueur de panique passa dans son regard noir.

Béatrice perçut cet appel à l'aide et s'interposa devant son ami. Avec un courage qu'elle ne se connaissait pas, elle força Michaël à baisser son arme.

— Attendez ! Avant que vous l'exécutiez, je dois... je dois...

Avec un soupir lourd, elle se jeta dans les bras de Jimmy et l'embrassa. Stupéfait, Jimmy retint son souffle, ne s'attendant pas à ce baiser : ce n'était pas dans les plans…

Béatrice profita de la surprise générale pour tendre les doigts dans la poche de l'anorak de Jimmy et en retirer quelque chose.

— Maintenant ! hurla-t-elle.

Elle jeta sur le sol une pochette organique qui libéra un nuage de spores.

Kazuo saisit son signal, et les trois adolescents vidèrent alors le contenu de leurs sacs à dos, remplis de ces énigmatiques bombes. Bientôt, la pièce fut remplie d'une dense fumée bleue qui s'attaqua aux Mycoloïdes.

Béatrice fendit la cohue pour rejoindre Zeckie.

— Ça va ? demanda Béatrice.

— Vous aviez tout planifié ? s'enquit la jeune Gaïenne, hébétée.

Michaël empoigna Jimmy par le cou et allait le transpercer avec le sabre de Zeckie quand son geste fut dévié par la lame de Kazuo. Celui-ci affronta le Mycoloïde avec une dextérité qui le surprit lui-même. Il ne savait pas si cette rapidité était due à son séjour dans la cuve de convalescence ou au costume organique qu'il portait sous ses vêtements, mais il n'avait jamais été si habile. Il contrait sans difficulté les coups de son adversaire et réussit, d'un revers, à le désarmer. Le sabre glissa sur le sol, et Kazuo s'écria :

— Zeckie !

La jeune Gaïenne ramassa son arme au passage et se redressa d'un bond, éloignant les Mycoloïdes qui l'attaquaient avec de grands mouvements de balancier.

Pendant ce temps, Jimmy et Béatrice tentèrent de délivrer le Saonu de sa cage. Devant la console gravée de symboles incompréhensibles, ils pressèrent la majorité des boutons lumineux sans que rien se passe.

— Jimmy, je crois qu'il faut détacher le haut du tube ! s'écria Béatrice.

D'un saut agile, Jimmy grimpa sur le cylindre blindé. Sur le dessus, il trouva des commandes. Il tourna une poignée et tira un levier, puis le champ magnétique céda. Le tube de verre s'abaissa dans le sol, libérant le Saonu.

Après avoir repoussé un Mycoloïde de quelques coups de pied, Kazuo lança son arme au Saonu. Celui-ci la saisit au vol et remercia le jeune homme d'un bref hochement de tête.

Le combat qui eut ensuite lieu se déroula à une vitesse fulgurante. Si les trois adolescents avaient été impressionnés par les capacités de leur amie gaïenne, ils furent carrément époustouflés par la puissance du Saonu.

Sa lame bougeait si vite qu'elle était à peine perceptible. Le Saonu envoyait ses attaquants au sol avec une rapidité hypnotique et une précision quasi chirurgicale. Puisqu'il était un agent d'expérience, il respectait les conditions de sa mission et n'infligeait aucune blessure fatale aux Mycoloïdes. Il connaissait chacun de leurs points faibles et en profitait pour les rendre hors d'état de nuire.

La fumée bleue se dissipa alors, et de grandes créatures mauves se matérialisèrent, encerclant les Mycoloïdes blessés pour les empêcher de déguerpir.

Enoki se détacha du groupe et s'avança vers Béatrice de sa démarche fluide.

— Je vous remercie. Cette attaque s'est déroulée comme prévu grâce à votre aplomb, jeunes Terriens.

— Vous êtes un des semblables de David Dubois ? s'étonna Zeckie. Alors tout cela était calculé, même cette comédie ridicule que vous avez jouée au départ ?

— Oui, avoua Béatrice avec un petit gloussement. Les Mycorhizes nous ont recueillis dans une tempête de sable et, après qu'on leur a raconté ce qui était arrivé à David, ils ont décidé de nous aider.

Enoki expliqua :

— Nous devions investir Thallophia pour rétablir l'ordre. Puisque les Mycoloïdes nient depuis toujours les preuves de leur exode sur Terre, nous savions qu'il nous serait impossible de pénétrer leurs laboratoires. Par ailleurs, nous étions certains que les jeunes Terriens seraient amenés ici s'ils étaient capturés. Nous n'avions donc qu'à nous infiltrer sous forme de spores…

— Puisque les Mycoloïdes sont télépathes et qu'ils pouvaient découvrir notre plan avant que nous le mettions à exécution, poursuivit Kazuo, les Mycorhizes nous ont recommandé de brouiller leurs perceptions en puisant dans nos sentiments les plus forts…

— C'est pour ça que nous avons mis en scène cette chicane, expliqua Jimmy.

Zeckie secoua la tête avec un sourire : ces Terriens avaient déjoué un complot interdimensionnel sans entraînement ni habileté particulière !

Une grosse main s'abattit sur l'épaule de la jeune Gaïenne.

— Il semble, ma fille, que votre instinct vous ait bien guidée dans le succès de votre mission, dit le Saonu avec un sourire dissimulé dans sa moustache. Je ne croyais pas qu'il était possible de se sortir de cette impasse. Pourtant, vous avez fait preuve d'initiative en invitant ces jeunes Terriens à vous aider…

Zeckie soupira.

— Merci, Saonu. Mais comment pourrai-je éradiquer la maladie rouge ? C'est moi qui ai créé ce fléau.

— Eh bien, vous devrez découvrir l'antidote. Si vous vous dépêchez, j'imagine que cela n'aura pas trop de répercussions sur la note finale qui vous sera allouée pour cette mission.

— Oui, Saonu.

— Maintenant, il serait temps de réveiller la Saïna, car le combat avec les Mycoloïdes est loin d'être terminé.

Enoki aida le Saonu à délivrer la Saïna de son coma. Des cloisons s'ouvrirent sur les côtés du sarcophage, libérant avec un chuintement les gaz qui la tenaient endormie. Lorsque la vapeur se dissipa, la femme battit des paupières. Le Saonu dégagea une mèche de cheveux qui lui barrait la joue. Zeckie perçut ce mouvement tendre avec un froncement de sourcils.

— Reik ? Que fais-tu ici ? Où sommes-nous ? demanda la Saïna d'une voix enrouée.

— Doucement, murmura-t-il. Ne vous emballez pas. Vous avez été gardée dans un sommeil artificiel depuis plusieurs semaines. Vous êtes toujours sur Fungiia.

— Fungiia ?

Elle porta la main à son front.

— Je… je croyais qu'ils avaient l'intention de me tuer. Ils voulaient s'expatrier sur Terre…

— Ils ne vous ont pas exécutée, car ils voulaient s'infiltrer sur Gaïa et devaient recueillir par télépathie des données sur notre monde.

Le Saonu marqua une pause puis, désolé, il souffla :

— Ils vous ont aussi volé votre Syctid…

La Saïna baissa les yeux vers son bras gauche et découvrit avec un choc qu'il avait été sectionné. Elle ferma les paupières. Elle n'avait jamais si lamentablement échoué… Enfin, presque.

— Un clone prend en ce moment votre

place sur Gaïa, et nous devrions vite intervenir !

Animée d'une énergie nouvelle, la Saïna bondit hors de son cercueil.

— Dans ce cas, ne perdons pas de temps !

Zeckie sourit. Elle retrouvait avec un mélange de joie et de crainte cette dirigeante qui était parmi les plus respectées de Gaïa. Son contentement fut de courte durée, car une plainte détourna son attention.

— Kazuo ! s'exclama Béatrice.

Dans la pagaille générale, Michaël avait réussi à se relever et à se camoufler. À présent, il tenait Kazuo en otage, un morceau de métal acéré appuyé contre sa jugulaire. Dans son autre tentacule, il tenait une des nombreuses peaux humaines qui avaient été confectionnées dans le laboratoire.

— Les autres ont peut-être été capturés, mais, moi, je ne resterai pas dans cette dimension morte ! Je gagnerai la Terre pour y bâtir notre empire !

— Nous vous retrouverons ! clama le Saonu. Vous n'avez aucune chance…

— Vous croyez ?

Le Mycoloïde garda ses appendices noués autour du cou de Kazuo et traça une profonde balafre sur la joue du jeune homme.

Kazuo avait beau se débattre, l'emprise de Michaël était trop forte.

— Vous ne laisserez pas ce jeune Terrien mourir, n'est-ce pas ?

Le Mycoloïde entraîna Kazuo au fond du laboratoire, où un monte-charge attendait. Celui-ci menait directement à la grotte où se situait le portail. Tous le guettaient du coin de l'œil, impuissants, ne sachant comment atteindre Michaël sans blesser Kazuo.

Furtivement, Zeckie se dissimula derrière les autres et, d'un mouvement preste, culbuta sur le sol, à côté du Mycoloïde. Elle l'empala d'un coup de sabre. Avec une lamentation aiguë, le monstre lâcha Kazuo et s'affala.

Plusieurs Mycorhizes se précipitèrent sur Michaël pour s'assurer qu'il ne s'évaderait plus.

Zeckie tendit la main à Kazuo avec un sourire coquin.

— Nous sommes quittes, à présent !

Abasourdi, l'adolescent accepta son aide et se redressa. Elle effleura sa joue d'un geste doux pour essuyer le sang qui coulait. Cette caresse fit battre le cœur de Kazuo plus vite.

Puis Jimmy désigna le tube où Marie Jolicœur était captive.

— Hé, il faudrait s'occuper de la prof, non ?

Béatrice esquissa un mouvement vers la cage dans le but de la réveiller, mais le Saonu la retint.

— Non, je ne crois pas que nous devrions la tirer de son sommeil ici… Elle ne comprendrait pas où elle est, et je crains qu'elle ait un choc.

— Qui est cette personne ? Comment a-t-elle été mêlée à cette mission, Saonu 618 ? demanda la Saïna.

Le Saonu serra la mâchoire et rougit.

— Je…

Sévère, la Saïna hocha la tête avec un air entendu.

— Ah, je vois… Vous le savez, le code de conduite des agents de Gaïa interdit formellement de fraterniser de cette façon avec les habitants d'une dimension étrangère. Vous en relirez quelques passages pour vous rafraîchir la mémoire, Saonu 618 !

— Je… C'est elle qui m'a rendu visite, je n'ai rien fait de…

La Saïna pinça les lèvres, sceptique.

— Je vous connais mieux que quiconque, alors si vous voulez que j'oublie cette incartade, par Gaïa, n'ajoutez rien !

Zeckie avait côtoyé les Saïnas et les Saonus de Gaïa toute sa vie. Pourtant, dans le cadre de cette mission, elle jugeait le comportement de la Saïna 263 et du Saonu 618 plutôt étranges. Si la jeune Gaïenne imaginait auparavant qu'ils étaient des modèles de perfection, elle se réjouissait aujourd'hui de constater que ce n'était pas le cas...

— Allons, direction la Terre ! annonça enfin la Saïna d'une voix forte.

***

Près de la brèche, Enoki salua les Terriens et les Gaïens.

— Dès notre traversée, ce portail sera officiellement fermé, annonça la Saïna. Nous enverrons bientôt des agents pour vous porter l'antidote. Cela ne tardera pas.

Enoki remit ensuite un petit amas de métal tordu à Béatrice.

— Mon robot ! gémit-elle, découragée.

— Nous l'avons trouvé dans le laboratoire. Cette technologie est très intrigante. On parlera longtemps de cet étrange insecte métallique à Thallophia !

— Au moins, il aura servi à quelque chose…

Jimmy tira sur le col de son chandail et découvrit la combinaison écarlate qu'il portait en dessous.

— Et comment on se débarrasse de nos peaux de Mycorhizes? s'enquit-il auprès d'Enoki.

— Puisque ces microparticules sont en symbiose avec votre corps, elles fonctionnent aussi avec les impulsions électriques de votre cerveau. Vous n'avez donc qu'à souhaiter retirer ces spores et elles s'enlèveront.

Jimmy songea que cette étrange substance avait le pouvoir d'exacerber ses capacités et qu'il ne souhaitait pas s'en défaire trop vite. Il se demanda s'il y avait un moyen de la conserver et s'il était possible de la revêtir de nouveau. Pourtant, il tut sa question, de peur que les agents gaïens ne la lui arrachent de force. Ils semblaient si obsédés par l'idée de conserver l'équilibre des mondes… Mais si ces cerbères ne le savaient pas, Jimmy pourrait peut-être la garder, non?

De son côté, Kazuo hésita à réclamer un échantillon de particules régénératrices pour réparer sa balafre. Hélas, il était déjà tard, et ils devaient repartir vers la Terre.

Le Saonu portait Marie Jolicœur, endormie

dans ses bras. Il fit un signe du menton pour encourager les intrus à regagner leurs plans respectifs. Les uns après les autres, malgré leur hésitation, Jimmy, Béatrice, Kazuo et Zeckie se jetèrent dans le tourbillon de lumière qui séparait les dimensions. Avant que la Saïna 263 et le Saonu 618 se lancent à leur tour, Enoki émit un petit bourdonnement.

— Bonne chance, Maonie et Reik.

Les deux agents gaïens se consultèrent du regard, surpris. Comment ce Mycorhize avait-il appris ces noms ? Cette question resta en suspens, et ils disparurent dans le vortex.

21

Cette traversée ne fut pas plus facile que la première pour l'estomac de Jimmy, et il vomit sur le sol de la remise du terrain de jeux dès son arrivée sur Terre.

— Je vais avoir une méchante gueule de bois aujourd'hui, grommela-t-il à Kazuo qui l'aida à se remettre sur pied.

Le Saonu eut à peine le temps de déposer Marie Jolicœur dans un coin que la Saïna lui tira le bras et pianota quelques consignes sur le clavier de son Syctid. Un écran holographique géant fut alors projeté devant le portail menant vers Fungiia. De son index, la Saïna délimita, sur l'image, un cercle virtuel qui s'illumina comme un cerceau de feu. Elle exécuta une dernière commande, et une décharge électrique sillonna le segment brillant. Avec une explosion de lumière, le passage se ferma dans un bruit de succion.

Béatrice, Jimmy, Kazuo et Zeckie observèrent avec un mélange de fascination et de regret cette condamnation du lien vers Fungiia. Cela mettait fin à leur aventure incroyable.

La Saïna entra de nouvelles instructions dans le Syctid du Saonu et une autre brèche s'ouvrit au bout de la pièce.

— Saïna, il n'est pas sage de reprendre le chemin de Gaïa immédiatement. Vous venez de vous réveiller, vous n'êtes pas encore en état de vous battre. Et vous n'avez aucune idée de l'endroit où ce portail vous mènera !

— Depuis quand suis-je à vos ordres, Saonu ? Je n'ai pas gravi les échelons pour rien, je sais ce que je fais !

Le Saonu serra les mâchoires.

— En plus, vous n'avez même plus votre sabre ! C'est votre double qui s'en sert !

La Saïna voulut croiser les bras, mais reprit conscience du membre qu'il lui manquait. Frustrée, elle détourna son regard noir et dit pour camoufler son trouble :

— Je peux emprunter celui de Zan 432. Quant à vous deux, vous resterez ici pour terminer vos tâches et rédiger vos derniers rapports.

Zeckie lui remit son arme avec un salut respectueux.

— À la grâce de Gaïa, ma Saïna.

La grande femme accepta le sabre avec un imperceptible sourire et se pencha pour ramasser une bille blanche qui avait été oubliée sur le sol. Elle la posa dans la paume de Zeckie qui reconnut un des orbes amnémoniques qu'elle avait perdus dans cette pièce.

— Merci, Zan 432. À présent, vous connaissez votre devoir. À la grâce de Gaïa.

Puis elle disparut dans le portail qui se referma sur elle. Le Saonu cracha un juron, et Zeckie examina la petite sphère entre ses doigts. Troublée, elle observa ses amis qui ne savaient comment réagir.

Sa tâche consistait à effacer leur mémoire si elle voulait que l'équilibre soit rétabli dans la dimension de la Terre. Pourtant, avec ce qu'ils avaient vécu et le chemin qu'ils avaient parcouru, Zeckie n'arrivait pas à s'y résoudre. Elle regarda le Saonu et murmura :

— Cela m'est impossible. Ils m'ont beaucoup aidée, et je ne peux pas leur enlever la mémoire. Ils ont dû faire des compromis… J'aurais l'impression de leur jouer un sale tour.

— S'il se passe quoi que ce soit sur Terre en relation avec votre mission, vous en serez tenue responsable, avertit son mentor.

— Oui, et je l'assume pleinement !

— Maintenant que vous comprenez ce à quoi cette décision vous engage, je vous prends cet orbe. J'ai trouvé un usage pour celui-ci…

Quand Zeckie se tourna vers ses amis, une lueur de tristesse brillait dans ses pupilles grises. Pour la première fois depuis qu'elle les connaissait, elle ne cacha pas ses émotions.

Elle avait douté d'eux à chaque seconde de cette mission.

Pourtant, ils avaient relevé le défi et sauvé leur dimension avec brio. Jimmy le rebelle, Béatrice l'intello et Kazuo le sportif ; ils étaient bien plus que ces ridicules étiquettes dont ils avaient été marqués à l'école. En réalité, ils étaient tous un peu des génies à leur façon.

— Je suis fière de vous. Vous avez vraiment été d'une efficacité surprenante ! avoua-t-elle, presque tendre.

— Tu dois partir, Zeckie ? demanda Béatrice.

La jeune Gaïenne acquiesça, un nœud dans la gorge.

— Te reverrons-nous ? s'enquit Kazuo, oubliant son orgueil.

Zeckie baissa le nez. Béatrice serra son amie pour la consoler, puis Kazuo et Jimmy se joignirent à l'accolade.

— Si ça continue, on va tous se mettre à brailler !

— Ah, tais-toi donc, Jimmy ! lâcha Zeckie avec un petit rire qui ressemblait à un sanglot.

Le Saonu reprit Marie Jolicœur dans ses bras.

— Venez, les jeunes ! Il est temps de rentrer ! Il est tard, et vous aurez bien des explications à donner à vos parents !

***

Dès que les paupières de Marie Jolicœur papillotèrent, un flash lumineux se produisit devant elle, embrouillant sa vue.

Elle secoua la tête pour reprendre ses esprits. À sa grande surprise, elle était dans sa chambre. Il était onze heures dix-sept.

Marie frotta son visage d'une main lasse, essayant de se remémorer les événements de la veille. Étrangement, elle n'avait aucun souvenir de ce qui était survenu après qu'elle eut décidé d'inviter Saonu au cinéma.

Étourdie, elle se leva et vit, dans le reflet

de la glace, ses vêtements fripés et ses cheveux hirsutes. On aurait dit qu'elle avait passé la nuit sur la corde à linge…

Puis un mouvement à l'extérieur attira son attention, et elle se pencha à la fenêtre. Elle remarqua Saonu Zan qui sortait de l'allée de sa maison pour remonter la rue.

Alarmée, Marie observa le lit défait derrière elle. Qu'avait-il bien pu se produire ?

Elle tomba assise sur un fauteuil, hébétée. Le pire, c'est qu'elle ne se rappelait rien, rien du tout !

Heureusement, sa confusion fut chassée par le sommeil qui vint la ravir de nouveau.

***

Béatrice ouvrit la porte de la maison.

— Il y a quelqu'un ?

Puisqu'il n'y avait aucune réponse, elle en conclut que sa famille n'était pas encore revenue. Elle soupira de soulagement, jusqu'à ce qu'elle voie l'état dans lequel avait été abandonnée la cuisine. Elle se rappela que David Dubois avait perdu du sang partout sur le parquet. C'était le dur retour à la réalité…

Au moment où elle finissait de passer la

vadrouille sur le plancher, ses parents entrèrent en coup de vent.

— Béatrice ? Béatrice ! Tu es là ! s'écria Julien.

— Bien sûr, papa ! Où voudrais-tu que je sois ?

L'air ironique, sa mère se présenta sur le seuil de la pièce, Émile dans les bras.

— Ton père a appelé plus tôt et, quand il n'a pas obtenu de réponse, il s'est mis à se faire de la bile ! Julien, je t'avais bien dit que rien n'était arrivé ! lança Simone.

— J'étais allée voir Zeckie, ce matin. Elle doit retourner en… en Norvège, expliqua Béatrice.

— Et comment la fenêtre de ta chambre s'est-elle brisée ? demanda Julien, les poings sur les hanches.

Béatrice rougit, prise de court. Elle avait oublié que Jimmy avait cassé le carreau en y jetant une pierre.

— Je… euh… Mon robot est tombé et a brisé la vitre, raconta-t-elle, penaude.

Julien hocha la tête, sceptique, et Béatrice ne put retenir un sourire.

Si son père avait su que deux garçons s'étaient introduits chez elle hier soir, qu'une créature s'était matérialisée au milieu de la cuisine, qu'elle avait traversé dans un autre monde pour rencontrer des champignons intelligents et qu'elle avait sauvé la Terre, il en aurait fait une crise cardiaque. Elle rigola. Elle était tout de même bien contente qu'il s'inquiète pour elle de cette façon…

À cet instant, Émile tendit son petit doigt potelé vers sa sœur et s'exclama :

— Iatissss ! Iatissss !

— Il répète cela depuis hier soir, ricana Simone. Je pense qu'il s'est ennuyé de toi, Béatrice.

La jeune fille soupira.

— Moi aussi je me suis ennuyé de vous, avoua-t-elle.

***

Devant sa maison démesurée, Jimmy hésita un instant. Il remonta le chemin pavé sans marcher sur la pelouse ni piétiner les fleurs. Il appréhendait plus d'affronter son père qu'une horde de Mycoloïdes. L'adolescent entra, sans cérémonie, prêt à tout, jusqu'à ce qu'il entende la discussion qui avait lieu dans la cuisine.

— Vous ne comprenez pas pourquoi Jimmy a fugué ? Eh bien, j'ai une réponse pour vous :

vous n'êtes jamais là et vous ne lui prêtez aucune attention ! fulminait sa sœur Laura. Le connaissez-vous, au moins ? Avez-vous vu sa chambre ? Il n'a rien d'un voyou ou d'un criminel, il adore dessiner et s'intéresse à l'art. Et vous ne l'encouragez même pas !

Jimmy n'en croyait pas ses oreilles.

— Laura, ma chérie…

— Et toi, maman, j'ai découvert dans le grenier les vieilles toiles que tu avais peintes. Tu as peut-être décidé de choisir un autre chemin, mais tu devrais être la première à appuyer Jimmy !

— Laura, tu ne t'en sauveras pas ! Cela n'excuse pas tes piètres résultats…

— C'est fini, papa ! Ma décision est prise ! Et j'y arriverai par mes propres moyens. Je lâche le droit pour me consacrer à ce que j'aime vraiment : la musique ! conclut la jeune femme en sortant en trombe de la pièce.

Laura tomba alors face à face avec son frère. Pendant quelques secondes, ils s'observèrent en silence, éberlués. Puis Jimmy eut un sourire franc et ravi. Ils s'ignoraient depuis des années et, en un instant, une complicité s'était tissée entre eux. Laura se jeta dans les bras de son frère.

— Merci d'être revenu, Jimmy.

***

Assis sur le trottoir, Kazuo n'avait pas encore trouvé le courage de rentrer chez lui. Il se doutait bien de ce qui l'attendait. Si au moins son père avait su ce qu'il avait accompli… Malheureusement, le lui dire était impossible.

L'adolescent vit le Saonu remonter la rue et détourna les yeux. Il avait honte de manquer de bravoure devant cet homme qui voyageait à travers les dimensions pour affronter des créatures de toutes sortes.

Le Saonu s'arrêta à sa hauteur.

— Vous n'entrez pas chez vous, Kazuo ?

— Non, marmonna le jeune homme, le regard baissé.

— Pourquoi ? Vos parents doivent s'inquiéter de votre absence, non ?

Kazuo croisa les bras.

— Parce que je vais recevoir la correction de ma vie.

— Correction ? s'étonna le Saonu.

— J'étais déjà en punition et mon père ne me laissait pas sortir de la maison, sauf pour que je me rende à l'école. Comment puis-je lui expliquer que j'ai été dehors toute la nuit et pourquoi j'ai une grosse cicatrice sur la joue ? Il croira que je me suis encore battu et me donnera une correction que je me rappellerai !

Le Saonu fronça les sourcils.

Il empoigna Kazuo par le collet de son anorak et le traîna de force chez lui. Incrédule, l'adolescent pensa que Zeckie avait peut-être raison de traiter son mentor de tyran…

M. Miyabe répondit à la porte, le visage cramoisi de colère. Il darda un regard furieux sur son fils, convaincu que celui-ci s'était de nouveau attiré des ennuis.

— Bonjour, monsieur Miyabe, claironna la voix forte du Saonu. Je tenais à venir reconduire votre fils, car il a fait preuve d'un courage indescriptible ce matin. Cette brave jeune personne nous a sauvé la vie, à ma fille et à moi-même, dans une situation qui aurait pu nous être fatale. Il s'est blessé dans l'opération, alors j'espère que vous prendrez bien soin de ce vaillant garçon.

Le grand homme adressa un clin d'œil à Kazuo et hocha la tête en signe de respect.

— Merci infiniment et bonne journée.

Bouche bée, M. Miyabe observa le Saonu repartir en sifflotant. Après un moment, il tapota l'épaule de Kazuo.

— Viens manger, mon fils. Tu as sans doute faim.

***

À la demande du Saonu, Zeckie avait nettoyé la maison et, à présent, méditait sur son lit. Sa première mission sur Terre était terminée, et elle n'avait pas envie de repartir. Elle avait fini par s'attacher à cette dimension et, surtout, aux personnes qu'elle y avait rencontrées. Mais cela devait être le lot de tous les agents de Gaïa qui voyageaient et fraternisaient avec des êtres de plans différents…

Elle entendit le Saonu monter l'escalier et se mit au garde-à-vous. Il inspecta la chambre aux murs dénudés et acquiesça.

— Vous êtes prête pour votre retour sur Gaïa ?

— Oui, affirma-t-elle en posant un sac à dos bien rempli sur son épaule.

— Qu'est-ce que c'est ? s'enquit le Saonu.

— Ce sont les objets que j'ai recueillis pendant ma mission.

— Vous devez les abandonner ici. Ils ne vous seront d'aucune utilité sur Gaïa.

Déçue, Zeckie songea au contenu du sac : des vêtements colorés, des livres et des exercices scolaires, son affiche de Wonder Woman et diverses babioles ramassées ici et là. Sous l'œil sévère du Saonu, elle se résigna à reposer son sac. Dès que son mentor tourna le dos, elle y pigea la photo de Kazuo découpée dans le journal local et la dissimula dans sa poche…

Quelques instants après, devant le portail ouvert, qui les conduirait bientôt dans leur dimension natale, le Saonu lui avoua :

— Je ne dois normalement pas vous faire part de mon évaluation avant que vous obteniez vos résultats, pourtant j'aimerais vous dire que vous avez mené un impressionnant sauvetage, et je vous en suis très reconnaissant. J'appuierai votre nomination au niveau Kao.

Zeckie inclina la tête.

— Et je ne laisserai plus jamais les étudiants prétendre que vous n'avez pas de cœur…

Puis elle demanda :

— Saonu, qu'est-ce qui vous manquera le plus ici ?

— Me manquer ? Vous savez très bien que les agents ne doivent pas développer de sentiments vis-à-vis des autres dimensions !

Nullement impressionnée par l'air austère de son mentor, Zeckie lui donna un petit coup de coude.

— Admettez quand même que vous voudriez bien rapporter une cargaison de brownies…

Le Saonu lui décocha un de ses rares sourires et lui tendit la main.

— Allez, venez, Zeckie Zan. La Saïna aura besoin de nous si elle veut renverser le pouvoir des Mycoloïdes installés dans les hauts rangs de Gaïa !

Ils s'élancèrent alors dans le cercle de lumière qui se referma sur eux avec un bruit de succion, laissant la maison au bout du cul-de-sac de nouveau vide.

22

Lorsque Zeckie et le Saonu apparurent dans la dimension de Gaïa, ce fut dans le local numéro 5 de la tour du Portail. Étrangement, la cohue qui avait assisté à leur départ était absente, et la pièce était vide, sans surveillance.

Agenouillée près du cerceau de métal qui provoquait les brèches interdimensionnelles, Zeckie eut un haut-le-cœur. Égal à lui-même, le Saonu l'empoigna par le bras et la remit sur pied.

— Désolé, Zeckie, mais nous n'avons pas le temps. Vous êtes une agente maintenant, vous devez apprendre à vous maîtriser. Venez !

Zeckie le suivit au pas de course, tentant d'ignorer ses étourdissements.

— Mon Syctid ne cesse de vibrer ! Les Mycoloïdes semblent s'être infiltrés partout ! affirma-t-elle.

Conscient de l'invasion, le Saonu longea

les murs jusqu'à la sortie, jetant des regards suspicieux autour. L'édifice était plongé dans un calme anormal et inquiétant.

À l'extérieur, sur une des passerelles qui reliaient les pavillons, un homme rond et chauve reposait sur le sol. Une grosse blessure suintait à son flanc gauche et imbibait sa tunique noire.

— La Saïna 263 est prise d'un accès de folie, haleta le Saonu 774. Elle est animée d'une rage meurtrière...

Se remémorant le message de détresse que lui avait envoyé le Saonu 774 sur la Terre, le Saonu 618 se précipita à son secours, troublé. La vraie Saïna 263 venait de traverser, non ? S'était-il trompé sur son compte ?

— Elle se rend au conseil des dirigeants ! Dépêchez-vous de l'arrêter, sinon elle fera un ravage ! hoqueta-t-il.

Bouleversée par cette déclaration, Zeckie baissa les yeux sur son poignet.

— Saonu ! C'en est un ! C'est un Mycoloïde déguisé !

Le Saonu 774 serra la mâchoire, l'air mauvais. Il arracha son masque, puis déploya ses tentacules. Le Saonu 618 réagit vivement et trancha les appendices du monstre. Avant que le Mycoloïde puisse attaquer, le Saonu pianota sur son Syctid, ouvrit une brèche vers Fungiia et renvoya la créature dans sa dimension.

Bien sûr, la Saïna avait tout calculé : puisqu'elle ne possédait plus de Syctid pour le renvoyer sur Fungiia, elle avait laissé cet imposteur blessé derrière, certaine que le Saonu le trouverait et, du coup, suivrait sa trace.

Le Saonu se tourna vers Zeckie.

— Voilà pourquoi la Saïna était pressée de rentrer : elle voulait s'assurer de coincer son double ainsi que les agents corrompus lors de l'assemblée hebdomadaire !

***

Quelques secondes avant midi, Zeckie et le Saonu arrivèrent en courant dans l'amphithéâtre où se tenait le conseil hebdomadaire des Saïnas et des Saonus. Impressionnée par la grande salle décorée de volutes de verre et surmontée d'un dôme de cristal, Zeckie contempla l'architecture, bouche bée. Sur le sol au centre de la pièce, une mosaïque représentait une femme aux cheveux en feuilles et en fleurs. L'adolescente reconnut Gaïa.

Zeckie se sentit intimidée par les nombreux regards braqués sur elle, car les élèves de son niveau n'avaient pas accès à ce bâtiment qui était strictement réservé à l'élite des hauts grades.

La Saïna 263, qui était sur le point de présider cette réunion, la repéra. Ses pupilles étincelèrent de colère.

— Que faites-vous ici, jeune personne ? N'êtes-vous pas en mission sur Terre ? Pourquoi lui avez-vous autorisé l'entrée dans ce lieu, Saonu 618 ? C'est un sacrilège ! Disparaissez de ma vue !

Les cent dix-sept membres du conseil observaient cet échange, médusés. Une rumeur inquiète parcourut les gradins et, à cet instant, une silhouette couverte d'un capuchon noir s'avança au milieu de l'arène.

— Encore faudrait-il que vous ayez l'autorité de donner ces ordres…

— Quoi ? cracha la femme assise à la place d'honneur.

L'authentique Saïna 263 se dévoila. Des murmures atterrés résonnèrent, et l'imposteur bondit sur ses pieds, incrédule. Zeckie se rendit alors compte que toutes les issues de la pièce avaient été bloquées.

— Comment…

— Il semble que vous ayez sous-estimé les capacités de mes collègues !

Avec le saut gracieux d'une panthère, la Saïna monta sur le bureau devant son double et dégaina le sabre que lui avait prêté Zeckie.

— Regardez, il lui manque un bras ! C'est un imposteur ! Aidez-moi !

Impitoyable, la véritable Saïna trancha la gorge du Mycoloïde et lui arracha son masque. Elle tint le déguisement devant l'assemblée telle une conquérante.

— Soyez méfiants, d'autres se cachent parmi vous !

Des cris étouffés secouèrent l'assistance et, derrière la Saïna, le Mycoloïde sortit de son costume et déploya son immense corps.

— Par Gaïa ! ne put s'empêcher de murmurer Zeckie.

Cette incroyable créature bicéphale avait quatre puissants bras et devait mesurer près de trois mètres. Ce mutant était clairement le résultat d'une erreur de la nature, mais ces malformations ne le handicapaient pas, bien au contraire. Doté de deux cerveaux qui lui apportaient une intelligence surpuissante, ce Mycoloïde avait réussi à organiser un complot ultracomplexe.

Le monstre tenta d'agripper la Saïna qui culbuta en arrière. Elle retomba sur ses pieds, sabre en main, attendant la réaction du Mycoloïde, l'air impassible.

La créature prit son arme et porta plusieurs coups, essayant de déstabiliser la réelle dirigeante avec ses autres tentacules. Heureusement, la Saïna était très agile et parait chacun des assauts.

Mais les deux têtes du Mycoloïde étaient capables de saisir chacune des pensées de la Saïna et de prévoir ses ruses.

Zeckie vit le Saonu serrer les poings. Il avait bien envie d'aider la Saïna. Pourtant, il savait que s'il s'interposait dans ce duel, elle ne le lui pardonnerait jamais…

Pendant ce temps, au milieu des gradins, se poursuivait une véritable traque. Une poignée de Mycoloïdes furent identifiés, et les armes étincelèrent. Le Saonu accourut pour prêter main-forte à ses collègues et, à l'aide du Syctid à son poignet, il ouvrit une brèche. Les intrus furent aspirés vers Fungiia.

À l'autre bout de la pièce, pourtant, l'antagoniste de la Saïna redoubla ses assauts. Un violent coup atteignit la tempe de la Saïna qui roula, inerte, sur la mosaïque. Le monstre émit un bourdonnement de satisfaction et s'avança vers la Saïna, toujours inconsciente, qu'il souleva dans les airs.

Zeckie perçut alors un battement de paupières de la dirigeante. La Saïna feignait-elle l'inconscience ?

Le Saonu, lui, hurla de rage. Il allait se précipiter au combat, quand la Saïna ouvrit les yeux. D'un geste plus vif que l'éclair, elle coupa la gorge du Mycoloïde et enfonça sa lame dans un des crânes.

La créature laissa retomber sa proie et poussa une plainte aiguë. La Saïna l'acheva d'un coup au thorax.

Un grand silence s'ensuivit. La Saïna expira, visiblement épuisée par ce combat titanesque, puis leva d'une main son arme au ciel. Même si les démonstrations d'allégresse étaient rares dans la salle du conseil des dirigeants de Gaïa, Zeckie cria de joie et applaudit.

Le Saonu baissa le nez et soupira, soulagé.

Fascinée, Zeckie songea qu'elle avait eu le privilège d'assister à un événement historique. La Saïna lui remit son sabre, taché du sang du Mycoloïde monstrueux, et murmura avec un petit clin d'œil :

— Merci de m'avoir prêté votre arme bien affûtée. Prenez-en bien soin, car, maintenant, elle ne représentera plus seulement un sabre pour vous défendre, mais aussi un symbole pour Gaïa.

***

Une semaine s'était écoulée depuis que Gaïa avait été délivrée du joug des Mycoloïdes. Zeckie s'était demandé à maintes reprises si on ne l'avait pas oubliée dans le tumulte causé par l'invasion, jusqu'à ce qu'elle reçoive un message la convoquant au cabinet de la Saïna 263.

Depuis son retour, Zeckie avait concocté l'antidote pour la maladie rouge avec le soutien du Saonu en charge du cours de chimie avancée. Une poudre bleuâtre avait ensuite été expédiée avec des escortes bien armées vers Fungiia, où on s'était assuré que les Mycoloïdes étaient hors d'état de nuire et que toute brèche vers les autres dimensions était bel et bien scellée.

Ce matin, Zeckie se dirigeait d'un pas hardi sur les passerelles translucides du campus, profitant des rayons de soleil, le cœur léger. Accéderait-elle enfin au niveau Kao ? Elle le saurait bientôt…

Au moment où elle allait franchir le seuil

de l'édifice qui abritait les bureaux des Saïnas et Saonus, elle croisa l'exaspérante Kao 158. Encore une fois, Zeckie n'avait aucun moyen de lui échapper. La jeune fille avait le don de la coincer dès que l'occasion se présentait.

Zeckie inspira et salua Kao 158, se remémorant certains principes de Gaïa pour se donner le courage de l'écouter.

Étrangement, Kao 158 semblait démontée.

— Bonjour, Zan 432, répondit-elle sans enthousiasme.

— Ça ne va pas ? s'étonna Zeckie.

— Je sors du cabinet de la Saïna 263 et, compte tenu de ce qui s'est passé, elle doit me retirer la mention d'honneur qui était inscrite à mon dossier. Mon examen de niveau Kao est quand même valide, mais je vais devoir faire mes preuves…

— Pourquoi donc ?

Kao 158 rougit et baissa les yeux.

— L'entraînement sur Azuréa n'a pas été un succès…

— Je croyais que c'était une excursion de routine, sous les palmiers !

— Nous avons eu droit à un ouragan et à une éruption volcanique, et disons que… j'étais mal préparée.

Zeckie se réjouit intérieurement. Peut-être qu'elle avait eu raison de suivre la sagesse de Gaïa. Tout venait à point à qui savait attendre. Elle prit néanmoins Kao 158 en pitié.

— Je suis sûre que tout va rentrer dans l'ordre, dit-elle franchement.

— Et toi, quand joindras-tu nos rangs ?

— Aujourd'hui, j'espère ! Je n'ai pas eu de nouvelles depuis la fin de ma mission.

— Tu es une véritable héroïne ! J'ai entendu qu'à un moment tu étais naufragée sur Terre, seule et sans moyen de communiquer avec Gaïa, et que tu as trouvé le moyen de t'en sortir !

— Oui, bien… J'ai eu un peu d'aide, admit Zeckie, embarrassée par cette attention.

— Et il paraît que la Saïna a utilisé ton sabre pour libérer Gaïa ! Je peux le voir ?

Zeckie dégaina son arme. La lame avait une petite cavité témoignant de la violence du combat.

— Tu es chanceuse, souffla Kao 158 avec admiration. Mais, après tout, j'imagine que la chance n'a rien avoir avec le talent, n'est-ce pas ?

Zeckie l'observa, surprise. Certaine d'être une mauvaise élève, elle recevait rarement des compliments.

— On se verra plus tard... Et bonne chance avec la Saïna ! À la grâce de Gaïa ! lança Kao 158 avant de reprendre son chemin.

— À la grâce de Gaïa, souffla Zeckie, abasourdie.

***

Zeckie patienta longtemps derrière la porte fermée du cabinet de la Saïna 263. Les éclats de voix qu'elle y entendit l'inquiétèrent. Elle se demanda qui laissait libre cours à sa colère vis-à-vis d'une des dirigeantes. Il était plutôt rare d'être témoin de querelles dans cette dimension qui prônait le pacifisme en toutes circonstances. Zeckie songea que cette personne n'avait sans doute pas lu les Saintes Écritures de Gaïa.

La porte de verre opaque s'ouvrit à la volée, et le Saonu 618 sortit de la pièce en fulminant.

— Saonu ? s'étonna Zeckie.

Le Saonu pâlit devant elle comme s'il avait vu un fantôme.

— Zeckie ?

Une étrange lueur passa dans son regard, un mélange de tristesse et de regret. Il reprit son souffle et, du coup, son masque austère.

— Bonjour, Zan 432.

Zeckie avait l'impression qu'il voulait lui dire quelque chose. Hélas, il pivota et partit d'un pas pressé, les poings serrés.

Le Saonu lui avait assuré qu'il appuierait son ascension au niveau Kao. Pourtant, il l'avait désignée par son ancien grade…

Lorsqu'elle pénétra dans le cabinet de la Saïna, Zeckie appréhendait une mauvaise nouvelle. Sa mission sur Terre n'était peut-être pas valide, peut-être qu'elle demeurerait indéfiniment au niveau Zan, peut-être même qu'on la renverrait avec les enfants, au niveau Abi…

La Saïna lui tournait le dos, la main sur le visage. La manche gauche de sa tunique blanche était vide. Zeckie se sentit mal à l'aise de la voir si vulnérable. En apercevant la jeune fille, la Saïna retrouva son air stoïque et enfouit ses émotions bien loin au fond de son cœur.

— Bonjour, Zan 432.

— Avec tout mon respect, Saïna 263.

— J'imagine que vous vous doutez de la raison pour laquelle je vous ai convoquée.

La dirigeante lui tendit un Syctid neuf que Zeckie agrippa, interrogative.

— À cause de l'intrusion que notre dimension a subie dernièrement, chaque agent devra maintenant porter un Syctid en permanence à son poignet pour détecter d'éventuels envahisseurs. Vous verrez aussi que cet appareil est encore plus performant que celui que vous connaissez…

Notant l'air déconfit de la jeune fille, la Saïna sourit, malicieuse. Elle désigna, sur un grand bureau de pierre, deux uniformes gris pliés. Le visage de Zeckie s'éclaira.

— De plus, vous êtes à présent promue au niveau Kao. Félicitations, Kao 432 !

Zeckie serra sa nouvelle tunique contre elle en jubilant. Elle avait réussi !

Face à cette démonstration de joie immature, la Saïna secoua la tête. Kao 432 n'était pas une élève comme les autres…

— Avez-vous des questions reliées à votre accession à ce niveau ?

Zeckie redevint sérieuse.

— Oui… mais pas à propos des cours, hésita-t-elle.

— Allez-y.

La jeune fille se racla la gorge, gênée. Elle pensa que, avec ce qu'elle avait vécu durant les dernières semaines, elle avait le droit de se questionner sur certaines choses.

— Quand vous vous êtes réveillée sur Fungiia, vous avez appelé le Saonu « Reik »…

— Vous avez dû mal entendre ! Vous savez très bien que nous n'avons pas de nom sur Gaïa… répliqua la Saïna.

— Peut-être pas, sauf que parfois nous utilisons des noms lors de nos missions…

La Saïna la toisa un instant de ses yeux sombres.

— Vous êtes plutôt futée, n'est-ce pas, Kao 432 ? Nous avons effectivement servi un long moment ensemble, il y a de cela bien des cycles. Cette mission était secrète, c'est tout ce que je peux vous dire. D'ailleurs, le nom que vous avez acquis sur Terre vous restera probablement longtemps à vous aussi. Quel était-il ?

— Zeckie.

La Saïna ouvrit la bouche, ébahie. C'était la première fois que Zeckie lui voyait cet air de surprise ; même devant un monstre de trois mètres, elle n'avait pas bronché de cette façon.

— C… comment avez-vous choisi ce nom ?

— Je ne sais pas. Je regardais une affiche dans le bureau du directeur de l'école où j'ai mené mon enquête, et ça m'est venu d'un coup…

— Avez-vous d'autres questions ? la coupa la Saïna.

Zeckie perçut le trouble de sa supérieure, mais n'osa pas lui en demander la raison. Elle changea donc de sujet.

— Oui. Qu'est-il advenu des Saïnas et des Saonus qui étaient remplacés par des Mycoloïdes ?

— Nous les avons découverts séquestrés dans une pièce retirée du pavillon du Portail. Les Mycoloïdes n'ont pas eu l'occasion de les déporter sur Fungiia…

— Et avez-vous réussi à retracer tous les Mycoloïdes qui s'étaient infiltrés dans notre dimension ?

— Oui, ne vous inquiétez pas. Nous sommes en sécurité, à présent.

— N'avez-vous pas peur qu'ils aient caché des œufs ou des volves dans la nature de Gaïa et qu'ils se développent sans qu'on s'en rende compte ?

— C'est assez improbable. Ils ne survivraient pas longtemps ici. Ils essayaient seulement de s'infiltrer pour avoir accès à d'autres environnements compatibles.

Zeckie sourcilla sans comprendre.

— Mais… ils étaient prêts à envahir le plan pollué de la Terre, alors ils devaient rêver de trouver une dimension aussi pure et sauvage que Gaïa, non ?

La Saïna l'observa du coin de l'œil. Zeckie se demanda alors si elle avait bien fait de poser ces questions. La jeune fille avait été entraînée à exécuter ses missions sans enquêter sur les motifs de celles-ci. Or, elle avait l'impression d'avoir déterré un douloureux secret.

— Venez avec moi.

La Saïna l'entraîna au sous-sol du bâtiment et ouvrit une trappe qui menait à l'extérieur. Lorsque la dirigeante l'invita à sortir, Zeckie hésita un instant. Habituellement, les seuls chemins qu'avaient le droit d'emprunter les habitants du campus étaient les passerelles qui contournaient la verdure. C'était un sacrilège de violer la nature. La jeune fille appliquait ces règlements depuis sa naissance et n'avait jamais osé les défier.

La Saïna insista d'un signe du menton et Zeckie obtempéra. Après tout, elle était accompagnée d'une des dirigeantes de Gaïa.

Elle suivit donc la grande femme à travers la forêt d'émeraude et les champs dorés, fascinée par la beauté qui l'entourait. La course d'un groupe de cerfs lui arracha une exclamation d'admiration.

L'excursion se poursuivit sur bien des kilomètres. Pourtant, Zeckie n'émit aucune question ni plainte : si la Saïna avait décidé de l'emmener jusqu'ici, c'était qu'elle avait de bonnes raisons.

Au bout d'un moment, Zeckie vit apparaître un mur de verre devant elle. Au début, elle crut qu'elles étaient parvenues à un bâtiment ou à une cité voisine jusqu'à ce qu'elle remarque que le panneau de vitre se prolongeait jusqu'à une hauteur vertigineuse. Ce rempart cristallin ne semblait pas avoir de fin, ni au ciel, ni à gauche, ni à droite.

Zeckie tourna un regard interrogateur vers la Saïna qui proposa :

— Examinez l'autre côté.

La jeune fille approcha son visage de la paroi. Ce qu'elle y aperçut l'époustoufla. Le ciel gris, parcouru d'éclairs, surplombait un paysage désolé, jonché de montagnes de déchets et baignant dans des rivières verdâtres. Son regard erra, puis se fixa sur la carlingue rouillée d'un appareil désuet au pied duquel s'éparpillaient des crânes.

Zeckie recula en trébuchant et tomba assise dans le foin, suffoquée par cette vision d'horreur. Des larmes jaillirent de ses yeux gris lorsqu'elle réalisa ce qu'elle venait de découvrir.

Les Gaïens n'étaient ni purs ni respectueux de l'environnement ; ils vivaient sous une cloche de verre sur une planète morte.

— Maintenant, vous savez, souffla la Saïna, désolée. Tout ce qu'il nous reste est ce que nous avons conservé ici.

— Comment ? articula Zeckie.

— Nos ancêtres ont joui d'une technologie trop avancée avant de se rendre compte qu'elle était destructrice. Puis ils ont découvert qu'il était possible de voyager dans les mondes parallèles. Ils ont alors inventé des machines pour se propulser vers d'autres dimensions. Les adeptes de Gaïa se sont opposés à ce projet et ils ont gagné. À présent, c'est nous qui surveillons les dimensions pour que personne n'essaie de reproduire ce que nos ancêtres ont tenté d'orchestrer. Nous sommes une poignée de villes disposées en périphérie d'un centre nerveux et nous faisons de notre mieux pour mériter notre dernière chance dans cette dimension.

— C'est pour cela que nous sommes enfermés ici et que nous devons vivre dans un régime militaire, sans avoir le droit d'éprouver de sentiments ? cracha Zeckie.

La Saïna parut comprendre le ton sec, rempli de reproches, que la jeune fille avait employé.

— Les sentiments nous ont déjà menés à plusieurs guerres… Dans l'état où se trouve Gaïa, nous ne pouvons plus nous permettre d'autres conflits.

Zeckie reporta son regard vers l'extérieur, où des gouttes de pluie acide vinrent s'écraser contre les vitres. Leur bulle de verre bénéficiait d'un microclimat artificiel qui faisait alterner soleil, nuages et pluie pour mieux conserver la nature.

Zeckie songea qu'elle avait critiqué, jugé et sermonné ses amis terriens. Pourtant, elle n'était vraiment pas mieux placée qu'eux.

— C'est ça qui va aussi arriver à la Terre ? Cette planète est-elle condamnée à mourir, quel que soit le scénario ? demanda l'adolescente, résignée.

— Qui sait ?

La tête inclinée, la Saïna observa la jeune fille avec compassion.

— Recueillez-vous ici tant que vous en avez besoin, Zeckie, conclut la Saïna avant de reprendre le chemin du campus.

— Attendez ! Pourquoi m'avez-vous révélé ceci ? Qui est au courant ?

— Tous les agents qui atteignent le niveau de Saïna ou de Saonu l'apprennent lors de leur examen de passage.

— Je ne me rendrai peut-être jamais à ce niveau… Je ne suis pas une bonne élève.

— Qu'est-ce qui vous porte à croire ça ? s'enquit la Saïna, étonnée.

— Eh bien, le Mycoloïde bicéphale a lu dans vos pensées avant de se mettre dans votre peau. Si votre sosie m'a rendu la vie si difficile, c'est que vous deviez juger que je le méritais…

La Saïna éclata d'un rire franc qui étonna Zeckie. La jeune fille n'avait pas remarqué auparavant que la dirigeante était si belle.

— Dans ce cas, il a très mal interprété mes pensées ! lui assura-t-elle avant de s'éloigner.

Zeckie décida de rester sur place et regarda de nouveau le monde ravagé. Tandis que la pluie ruisselait dehors, elle se coucha dans l'herbe haute et laissa couler le chagrin qui l'accablait.

« Chère Gaïa, la désillusion a un goût encore plus amer que le mensonge… »

Épilogue

Découragée, Béatrice fixait les pièces éparses de son robot. Elle n'était pas certaine d'avoir récupéré tous les composants. Il lui était donc impossible d'espérer le reconstruire dans les quelques semaines qui lui restaient avant l'exposition scientifique. Le visage entre les mains, elle songea qu'elle pouvait dire adieu à son séjour au camp de robotique.

Quelqu'un cogna à la porte, et elle bondit de sa table de travail. Son ami Arnaud lui avait promis de l'aider. À deux, ils réussiraient peut-être à assembler sa blatte en un temps record.

Béatrice ouvrit à la volée et hurla de terreur en se retrouvant nez à nez avec un Mycoloïde. Un rire rocailleux retentit, et la créature se démasqua pour révéler la tête ébouriffée de Jimmy.

— Très drôle, grommela Béatrice.

— Je ne croyais pas que tu avais peur

des monstres, Béa ! Tu ne vas pas à la fête d'Halloween ?

— Non, j'ai des choses plus importantes à terminer en ce moment. Grâce aux niaiseries de quelqu'un que je connais, j'ai un robot à réparer ! Heureusement, Arnaud a offert de me prêter main-forte.

Jimmy haussa les épaules avec un demi-sourire.

— Je ne crois pas qu'il va se présenter ce soir… Il vient de s'enfuir en courant ! C'est drôle, il a eu encore plus peur lorsque j'ai ôté mon masque !

Béatrice le dévisagea, exaspérée.

— Ah, Jimmy ! Si je veux avoir une chance de gagner des sous et me rendre à mon camp de robotique, je n'ai pas de temps à perdre !

— Tu n'avais pas un petit costume de démone qui traînait ici l'autre soir ?

— Oui, et puis ? Je t'ai déjà dit que je n'allais pas à la fête !

Jimmy croisa les bras avec un air frondeur.

— Le montant alloué pour le meilleur costume n'est-il pas à peu près semblable au prix de ta foire de *lunetteux* ?

— Oui, mais…

Le jeune homme dévoila alors une boîte métallique et en sortit une série de crayons à maquillage.

— Il nous reste deux heures. J'ai créé une bonne partie des costumes qui participeront au concours… Je vais donc devoir rivaliser avec moi-même et être assez original pour faire de toi la reine de la soirée !

Ébahie, Béatrice déglutit et hocha la tête.

Au bout de quelques minutes, elle redescendit, vêtue de son costume, gênée et aussi cramoisie que le tissu. Elle ne cessait de se demander comment elle avait pu croire s'en tirer avec une tenue si ajustée. Jimmy l'assit devant lui et la força à lever le menton. Il entreprit son travail, concentré, les sourcils froncés.

Le cœur serré et les paupières fermées, Béatrice reçut les coups de crayon sur sa peau comme autant de petites caresses. Lorsque le canevas s'étendit au-delà de sa peau, sur l'étoffe rouge qui couvrait sa poitrine, elle protesta.

— Hé !

— Tu veux ton prix, oui ou non ? Arrête de chialer, que je puisse travailler.

À la fin de cette douce et interminable torture, Jimmy plaça la jeune fille devant la glace et lui permit d'ouvrir les yeux. Elle poussa un cri et éclata de rire.

— Je suis épouvantable !

Elle avait peine à croire qu'il s'agissait bien d'elle, la petite et sage Béatrice. Deux cornes noires jaillissaient de son front, ses cheveux coiffés en pointes ressemblaient à des pattes d'araignée, et son épiderme donnait l'illusion d'être translucide, laissant paraître un réseau de veines et de muscles.

— Je n'en reviens pas… Je suis une œuvre d'art sur pattes, murmura-t-elle.

Jimmy posa un baiser au creux de son cou.

— Tu vas les jeter par terre, Béa !

***

En route vers la fête, Béatrice et Jimmy entendirent un bruit sourd derrière eux. Sous le grand chêne situé entre la maison des Paradis et celle de la famille Miyabe, Kazuo se redressa, époussetant ses vêtements. Il les repéra et courut vers eux.

— Vous allez à la fête ?

Il portait son uniforme de soccer, son visage était peint en blanc, ses joues creusées et ses yeux, cerclés de noir. Il avait l'air d'un zombie décédé lors d'un match.

— Béatrice, tu es effrayante !

— Kaz, toi tu as l'air mieux que d'habitude, se moqua Jimmy.

— Oui, et c'est un peu symbolique, parce que je célèbre quelque chose ce soir : je me retire de l'équipe de soccer !

Jimmy et Béatrice en restèrent bouche bée.

— J'ai toujours eu l'impression de jouer pour plaire à d'autres… Je ne l'ai jamais avoué avant aujourd'hui, mais je n'aimais pas ça autant que j'aurais dû.

— Et ton père ? s'enquit Béatrice.

Kazuo haussa les épaules.

— Je ne sais pas. J'ai eu une sorte de révélation sur Fungiia et j'ai le goût de me consacrer aux arts martiaux. Il ne pourra pas se plaindre tant que ça… De toute façon, c'est à peine s'il m'adresse la parole depuis notre retour.

— C'est vrai, il n'y a plus rien de pareil… Moi, j'ai dû expliquer à mes parents pourquoi je ne portais plus de lunettes et, maintenant, ils me prennent pour une miraculée !

Jimmy, lui, songea que, ce matin même, il avait trouvé sa mère qui pleurait, assise sur son lit, en regardant les esquisses affichées au mur de sa chambre. Avant de partir, elle lui avait tendu un cadre : c'était un portrait de lui qu'elle avait peint lorsqu'il avait deux ans.

— Vous avez fait ce que je vous ai suggéré pour les combinaisons des Mycorhizes ? interrogea Jimmy.

— Oui. J'ai réussi à en recueillir dans un pot que j'arrose régulièrement, raconta Béatrice. Ça semble survivre…

— Moi aussi. Mais qu'allons nous fabriquer avec ça ? Si les Gaïens savaient, ils auraient, sans jeu de mots, notre peau ! s'inquiéta Kazuo.

— On verra, murmura Jimmy, évasif.

— Et avez-vous remarqué qu'en ville on ne parle ni des douze élèves disparus ni de leurs familles ? releva Béatrice. Ces Mycoloïdes devaient avoir des relations, non ?

— Moi, je dis que les cerbères de Gaïa sont venus faire un tour, lança Jimmy.

— Tu crois vraiment qu'ils ont la capacité d'effacer la mémoire d'une ville entière ? Et nous, pourquoi aurions-nous été épargnés ? demanda Kazuo.

— Qui sait…

Jimmy songea que les agents avaient aussi oublié autre chose, car sur le terrain de jeux derrière chez lui, des talles de champignons croissaient, même après la première gelée. Peut-être que David Dubois reposait sous le sol en attendant de refaire surface…

***

À l'entrée du gymnase, Sophie-Élise Gauthier-Lalancette vendait les billets pour la soirée et accueillait les étudiants costumés.

— Ah salut Caroline très originale ta robe en arbre de Noël Vincent je t'avais reconnu derrière ton masque Mme Jolicœur vous faites une belle sorcière Martin tu es déguisé en pêcheur mais tu ne peux pas entrer ce poisson dans la salle… Oh ! Vous êtes… Vous êtes… Êtes-vous étudiante ici ?

— Bien sûr ! C'est moi, Béatrice Paradis !

— Béatrice ? s'écria Sophie-Élise. Tu es époustouflante j'espère que tu vas participer au concours tu es magnifique…

— Tu peux toujours espérer, railla Nadia Fréchette, derrière elle dans la file.

Habillée d'une toge à la limite de la décence et parée d'ailes de plumes blanches ainsi que d'une auréole scintillante, la jeune séductrice bomba la poitrine.

— J'ai emprunté mon costume à la guilde d'opéra de…

— Si tu es l'ange et Béatrice la démone, je n'ai vraiment rien compris à l'équilibre de l'Univers, ironisa Jimmy. Ça prouve qu'on ne peut pas se fier aux apparences…

— Sinon Nadia serait une vipère, renchérit Kazuo.

Cette remarque déclencha l'hilarité générale, et Nadia se tut, les lèvres pincées et les joues plus rouges que ne le requérait son costume. Étonnée, Sophie-Élise observa les trois personnes devant elle.

— Vous êtes ensemble ?

Béatrice prit les bras de ses compagnons et dit avec un large sourire qui découvrit deux canines pointues :

— Oui ! Nous sommes ensemble !

Déguisé en chasseur criblé de flèches sanglantes, Raoul Samson observa le trio hétéroclite.

— Ai-je bien vu ? Trois jeunes qui ne s'adressaient pas la parole il y a à peine une semaine sont passés bras dessus bras dessous ?

Sophie-Élise hocha la tête, tout aussi déconcertée que le directeur.

***

Dans la salle décorée de guirlandes orange et noires, de citrouilles illuminées et de chauves-souris géantes, le maître de cérémonie, affublé d'un haut-de-forme rouge et d'un gigantesque nœud papillon, annonça que la compétition était lancée. Il invita les aspirants à se présenter sur la scène, et Jimmy poussa Béatrice vers l'estrade avec une claque au derrière.

— Hé ! je ne suis pas une pouliche d'exposition !

— Tais-toi et va gagner ton prix !

Kazuo scruta la salle pour voir les autres concurrents. À travers les nuages de fumée blanche qui embrumaient la piste de danse, il perçut un mouvement sur la mezzanine qui dominait le gymnase. Une silhouette qu'il reconnut était dissimulée et observait la salle. Il s'excusa auprès de ses amis et courut la rejoindre.

***

Le sourire aux lèvres, Zeckie ne put s'empêcher d'applaudir lorsque Béatrice monta sur scène, affichant une confiance qu'elle ne lui avait jamais connue ; les costumes avaient parfois l'effet de changer momentanément la personnalité…

Elle pianota quelques mots sur son nouveau Syctid qui lui indiqua qu'elle n'était plus seule.

— Sors de ta cachette, Kazuo, mon Syctid t'a repéré... De plus, j'ai eu mon premier cours de détection olfactive ce matin, et je sais que c'est toi !

Penaud, le jeune homme quitta la pénombre.

— Tu es revenue ?

— Avant de clore ma mission terrestre, je devais rédiger un dernier rapport. Je ne pouvais visiblement pas rater cette fête rituelle d'Halloween !

— Bien sûr, approuva Kazuo avec un demi-sourire.

Il tendit les doigts et replaça une mèche derrière l'oreille de la jeune fille. Désarmée, elle se jeta dans ses bras et souffla.

— Il ne me reste que deux heures… Le Saonu m'a donné jusqu'à minuit.

— Pourquoi minuit ? demanda Kazuo, dépité. Il lit les contes de fées, le Saonu ?

Zeckie gloussa.

— Non. C'est l'heure jusqu'à laquelle il m'a assurée que le portail serait ouvert. Et il m'a dit que je n'avais pas intérêt à prolonger mon séjour, car cette incartade pourrait me coûter ma carrière...

— Eh bien, il faudra en profiter. Tu viens danser ?

Des applaudissements éclatèrent lorsque l'animateur réapparut sur scène, brandissant l'enveloppe contenant le verdict du jury entre ses doigts. Il prolongea le suspense, dépliant la feuille avec lenteur, puis annonça avec un roulement de tambour :

— La grande gagnante du premier prix pour son incroyable costume de diablesse est… Béatrice Paradis ! Félicitations !

Avec un sourire lumineux, Zeckie saisit la main de Kazuo et l'entraîna vers la foule.

— Allons-y !

Rapport 7.0
Identification : 2259-826-1935-0-432
Niveau : Kao
Dimension : Terre

État de l'enquête : La brèche est refermée, et le détecteur de particules étrangères ne recense aucun Mycoloïde dans les parages de l'école. Les Terriens ont repris leurs occupations sans se rendre compte de la disparition de certains individus. L'opération « mémoire sélective » semble avoir bien fonctionné.

Observations : Mon expérience parmi les Terriens a été plus enrichissante que je ne l'avais d'abord escompté. Plusieurs des individus que j'ai rencontrés se sont révélés attachants, et il est difficile de ne pas ressentir d'émotions à leur contact. Ils aiment tant rire, se moquer, se fâcher, pleurer, crier… Cela a été plutôt déstabilisant pour moi.

Même si je suis convaincue de l'importance de la discipline sur Gaïa et que je comprends pourquoi nous devons mettre de côté les sentiments pour mener nos missions à bien, je me demande si les émotions ne font pas partie de nous, si elles ne sont pas instinctives... Je crains qu'à long terme elles rattrapent les Gaïens.

Avis aux agents gaïens : Gare aux brownies ! Ils peuvent causer une dépendance. Demandez-le au Saonu 618...

Fin des rapports pour
la mission Terre-Fungiia

Parus à la courte échelle, dans la collection Ado

Ginette Anfousse
Un terrible secret

Chrystine Brouillet
Série Natasha:
Un jeu dangereux
Un rendez-vous troublant
Un crime audacieux

Denis Côté
Terminus cauchemar
Descente aux enfers
Série Les Inactifs:
L'arrivée des Inactifs
L'idole des Inactifs
La révolte des Inactifs
Le retour des Inactifs

Marie-Danielle Croteau
Lettre à Madeleine
Et si quelqu'un venait un jour
Série Anna:
Un vent de liberté
Un monde à la dérive
Un pas dans l'éternité

Sylvie Desrosiers
Le long silence
Série Paulette:
Quatre jours de liberté
Les cahiers d'Élisabeth

Véronique Drouin
Zeckie Zan

Série L'archipel des rêves:
L'île d'Aurélie
Aurélie et l'île de Zachary
Aurélie et la mémoire perdue

Magali Favre
Castor blanc, éternelle fugitive

Carole Fréchette
Carmen en fugue mineure
DO pour Dolorès

Bertrand Gauthier
Série Sébastien Letendre:
La course à l'amour
Une chanson pour Gabriella

Charlotte Gingras
La liberté? Connais pas...
La fille de la forêt

Marie-Francine Hébert
Série Léa:
Le cœur en bataille
Je t'aime, je te hais...
Sauve qui peut l'amour

Sylvain Meunier
Piercings sanglants

Stanley Péan
L'emprise de la nuit

Marthe Pelletier
La mutante et le boxeur

Maryse Pelletier
Une vie en éclats

Francine Ruel
Des graffiti à suivre...
Mon père et moi

Sonia Sarfati
Comme une peau de chagrin

Achevé d'imprimer en octobre 2007
sur papier 100% post-consommation,
sur les presses de l'imprimerie Gauvin,
Gatineau, Québec